JAYNE DILLON

Os gatos nunca mentem sobre o amor

São Paulo
2013

UNIVERSO DOS LIVROS

Jessi-cat
First published in Great Britain in 2013 by
Michael O'Mara Books Limited
9 Lion Yard
Tremadoc Road
London SW4 7NQ

Diretor editorial: **Luis Matos**
Editora-chefe: **Marcia Batista**
Assistentes editoriais: **Cássio Yamamura, Nathália Fernandes e Raíça Augusto**
Tradução: **Cristina Calderini Tognelli**
Preparação: **Louise Bonassi**
Revisão: **Viviane Zeppelini**
Foto da capa: **Paul Jones/Daily Mail/Solo Syndication**
Foto da quarta capa: **cortesia de Adam Preston**
Design original: **Clarkevanmeurs Design**
Arte e adaptação de capa: **Francine C. Silva e Valdinei Gomes**

Dados Internacionais de Catalogação na Publicação (CIP)
Angélica Ilacqua CRB-8/7057

D574g

Dillon, Jayne

Os gatos nunca mentem sobre o amor / Jayne Dillon; tradução de Cristina Calderini Tognelli. – São Paulo : Universo dos Livros, 2013.
176 p.

ISBN: 978-85-7930-672-3
Título original: Jessi-cat

1. Autismo – pacientes - biografia 2. Mutismo seletivo 3. Relação homem-animal I. Título II. Tognelli, Cristina Calderini

13-1000 CDD 926.1685882

Universo dos Livros Editora Ltda.
Rua do Bosque, 1589 – Bloco 2 – Conj. 603/606
CEP 01136-001 – Barra Funda – São Paulo/SP
Telefone/Fax: (11) 3392-3336
www.universodoslivros.com.br
e-mail: editor@universodoslivros.com.br
Siga-nos no Twitter: @univdoslivros

Para meu pai, que teria adorado este livro.
Também para a minha família, para os gatos
e para qualquer pessoa com uma incapacidade invisível.

Sumário

O que é mutismo seletivo?

Mutismo seletivo é um transtorno de ansiedade infantil. As crianças afetadas por ele falam fluentemente em algumas situações, mas permanecem caladas em outras. Sabe-se que a condição se manifesta precocemente e pode ser transitória – ao começar a escola ou numa internação hospitalar –, mas, em casos raros, pode persistir durante toda a vida escolar da criança.

Ainda que se comuniquem de maneira não verbal, essas crianças normalmente não falam com seus professores e podem até permanecer caladas com seus colegas. Outras combinações de mutismo também podem ocorrer, afetando membros específicos de sua família. Com frequência, a criança não tem qualquer outro problema identificável e conversa livremente em casa e com amigos próximos. Ela também pode ter progressos adequados à idade na escola em áreas em que a fala não seja necessária.

A característica essencial do mutismo seletivo é o fracasso persistente em falar em determinadas situações (por exemplo: na escola, com os colegas e/ou o professor), apesar de ser capaz de exprimir-se em outras situações mais familiares.

Crianças com Mutismo Seletivo provavelmente...

- Têm dificuldade de olhar para você quando estão nervosas. Elas podem desviar a cabeça e parecer ignorá-lo. Você pode acreditar que estão se mostrando hostis, mas não – elas simplesmente são incapazes de reagir.
- Não sorriem, ou têm um olhar vago ou sem expressão quando estão ansiosas. Na escola, elas sentirão ansiedade na maior parte do tempo, motivo pelo qual lhes é difícil sorrir, rir ou demonstrar seus verdadeiros sentimentos.
- Movem-se de modo desajeitado ou rígido quando estão ansiosas ou quando acreditam estarem sendo observadas.
- Acham incrivelmente difícil responder à chamada, ou dizer *olá*, *tchau* ou *obrigado* – isso pode parecer grosseiro ou maldoso, porém não é intencional.
- São lentas para responder a alguma pergunta.
- Tornam-se mais ansiosas se estão sob pressão para falar.
- Preocupam-se mais do que outras pessoas.
- São sensíveis emocionalmente.
- São sensíveis fisicamente, por exemplo, a barulhos, cheiros, toques e multidões.
- São muito sensíveis quanto à reação das pessoas – elas podem interpretar mal essas reações.
- Têm dificuldade para expressar seus sentimentos – porque é sofrido fazer isso.

Retirado da SMIRA (Selective Mutism Information & Research Association)[1]
www.selectivemutism.co.uk

1 Associação de Pesquisa e Informação sobre o Mutismo Seletivo. (N.T.)

Prólogo

Sobre uma gata

Lorcan ficou de pé diante da sala inteira, enquanto trinta rostinhos ansiosos olhavam para ele de suas carteiras. Ao seu lado, numa mesa, havia uma caixa com um pequeno milagre peludo, o motivo pelo qual ele conseguia enfrentar uma tarefa tão monumental. Aos oito anos, ele estava prestes a fazer seu primeiro discurso e o assunto por ele escolhido era seu adorado bichinho de estimação, a nossa linda gata Birmanesa, Jessi.

Antes que Jessi entrasse em nossas vidas, há dois anos, falar em público não teria sido apenas intimidante: teria sido impossível. Lorcan sofre de mutismo seletivo, um transtorno de ansiedade debilitante, que o impedia de falar com os colegas de classe e com os professores, e que o emudeceu em grande parte dos seus primeiros anos escolares. Desde a chegada de Jess, ele vem progredindo aos trancos e barrancos e, em dezembro de 2012, quando chegou a sua vez no "Sob os holofotes" – momento em que as crianças discursam brevemente sobre algo que lhes interessa – a professora de Lorcan perguntou se ele gostaria de participar. Para a surpresa dela, e a minha, ele disse que sim.

Foi mais do que natural que Lorcan decidisse falar sobre Jessi, portanto, perguntamos à professora se a entrada da gata seria permitida na escola, e ela concordou. Optamos por manter o discurso simples e ter muitas coisas para mostrar. Lorcan escolheu o que queria incluir e anotamos algumas frases sobre a premiação de Gato do Ano promovida pela instituição Cats Protection. Naquele verão, Jess havia sido a vencedora. Lorcan se preparou bem e, na manhã do "Sob os holofotes", ele parecia estar tranquilo. Foi para a escola como de costume, levando consigo sua caixa de itens relacionados à gata, e eu fui para casa buscar Jessi. Quando chegamos à escola, ela estava deitada sobre uma manta confortável em sua caixa de transporte e parecia bem relaxada, por isso eu a entreguei à professora e esperei, ansiosamente, na recepção.

Sabíamos que uma entre duas coisas podia acontecer: Lorcan poderia encontrar sua autoconfiança e se sair muito bem, ou poderia se debater e se calar. Felizmente, seu melhor amigo se ofereceu para ajudar com a apresentação, e eu me confortei com o pensamento de que, caso ele tivesse dificuldades, George o ajudaria. Visto que Lorcan vinha progredindo imensamente na escola, eu estava desesperada para que seu grande momento fosse realmente bom.

Depois de dez minutos roendo as unhas, meu coração deu um salto quando Lorcan passou pela porta. O alívio me assolou quando percebi o amplo sorriso em seu rosto. Quando ele foi mandado de volta para a sala, a professora me contou que ele realizou um brilhante trabalho. Ele não precisou da ajuda de George e até mesmo respondeu às perguntas feitas pelas crianças, que adoraram ter uma gata na escola. Ele falou sobre os prêmios que ela havia recebido e lhes mostrou diversas lembranças, inclusive o impresso da cerimônia da Premiação Nacional de Gatos realizado no Hotel Savoy, um brinquedinho para gatos e os belos desenhos que Simon Tofield, o criador da série animada britânica *Simon's Cat*, generosamente fizera para ele. A professora trouxe uma foto de Lorcan falando com a classe e, assim como eu, ela estava encantada por ele ter superado essa barreira. Postar-se frente a uma sala com cerca de trinta crianças e ser o centro das atenções era uma conquista imensa para Lorcan.

Orgulhosa e feliz, e um tanto emocionada, levei Jess para casa e mal pude esperar para contar as novidades aos amigos e parentes. Em minha página do Facebook, escrevi:

> Hoje, Lorcan levou Jessi para a escola e falou sobre ela diante de toda a classe. Ele contou sobre a Premiação Nacional de Gatos e respondeu a perguntas. Não acredito que ele conseguisse fazer isso sozinho sem a gata ali ao lado. Ela é uma benção preciosa, atendendo às expectativas de seu extravagante nome (de pedigree) Bluegenes Angel[2].

Todos se mostraram impressionados, e eu recebi montanhas de mensagens incentivadoras de amigos queridos e familiares que acompanhavam sua luta contra o mutismo seletivo. Eles sabiam o quanto aquele acontecimento era importante para todos nós. E, para mim e para nossa família, foi mais um motivo para sermos gratos por essa linda gata ter entrado em nossas vidas. Ela tem sido um verdadeiro anjo.

---

2 A tradução de Bluegenes Angel seria "Anjo de Gene Azul"; foneticamente, porém, "Genes" soa como "Jeans" em inglês, ou seja, há um trocadilho, "Anjo de Jeans". (N.T.)

Capítulo 1

Um novo começo

Algumas semanas antes do Natal de 2003, levei meu filho de dois anos, Luke, para uma festa de aniversário de um coleguinha da sua idade. Enquanto as crianças brincavam, divertindo-se em meio ao barulho, joguei conversa fora com uma amiga que estava grávida, prestes a dar à luz a qualquer instante, e outra mãe gestante. Em meio à conversa em torno de bebês, subitamente comecei a sentir uma sensação muito estranha, mas acabei deixando isso de lado conforme os preparativos festivos foram me absorvendo.

Naquele ano, como na maioria dos anos, nós planejamos um Natal tranquilo em casa: eu, meu marido David, nossos dois filhos, Adam e Luke, e minha mãe Pauline, que mora bem perto de nós, em Manchester. A certa altura da festividade, comecei a me sentir estranha novamente, e disse a David (que, por acaso, é clínico geral):

– Estou grávida. Tenho certeza de que estou grávida.

– Não seja boba – respondeu ele com uma risada. – Você sempre pensa que está grávida.

Não estávamos tentando engravidar, e ele estava convencido de que aquilo era apenas a minha imaginação, mas eu não tinha tanta certeza assim.

No dia seguinte, dei uma passada em Trafford Centre – uma Meca de compras, que fica perigosamente próxima à nossa casa – para ver as liquidações, e comprei coisas adoráveis a preços ótimos. Enquanto estava na fila do caixa para pagar pela montanha de roupas novas, lembro-me de ter pensado que aquilo provavelmente era uma bobagem, uma vez que eu não caberia nelas em alguns meses.

Ao chegar em casa, abordei David novamente.

– Estou grávida – disse. – Definitivamente, estou grávida. Não sei explicar, mas sei que estou.

Para que eu me calasse, e não por acreditar em mim, David foi logo comprar um teste de gravidez.

Tranquei-me no banheiro para fazer o teste e a fina linha azul logo confirmou aquilo que eu já sabia. Eu não disse nada. Apenas mostrei o teste positivo para David e ele disse:

– Ah, então você está mesmo...

Não foi planejado, mas foi uma surpresa maravilhosa, e nós dois ficamos contentes.

O meu filho mais velho, Adam, veio antes que eu conhecesse David e já tinha dezesseis anos, e Luke estava com dois anos, portanto, outro bebê completaria a família perfeita.

Assim que soube que o bebê número três estava a caminho, pensei: como vamos chamá-lo? Meu marido é irlandês e eu ponderei inúmeros nomes de meninas, mas quando pensava em nomes de meninos, eu ficava sem ideias, por isso, imediatamente comecei a pesquisar nomes. Quando eu estava grávida de Luke, tínhamos escolhido George, mas ele não se parecia com um George, por isso, decidimos por Luke. Dessa vez, eu queria algo um pouco diferente. Pesquisei em sites de nomes de bebês na internet e sempre voltava para o nome Lorcan, e ele acabou pegando. Lorcan significa "guerreiro impetuoso".

Na vigésima semana, fomos fazer exames de rotina, e eu disse à médica do ultrassom que eu não queria saber o sexo do bebê. Ela não nos contou, e apesar de rapidamente mover o aparelho, nós dois vimos que era um menino. Para uma obstetriz e um médico, é bem difícil não perceber!

Eu passei por três anos de treinamento para me tornar obstetriz depois que meu primeiro filho, Adam, nasceu. Esse trabalho era imensamente gratificante para mim, e eu adorava o fato de ter ajudado todos aqueles bebês a virem ao mundo.

Antes da chegada de Luke, trabalhei na maternidade do Hospital Geral de Trafford, bem perto da nossa casa atual, mas, na época em que tive Lorcan, eu diminuí o número de horas, trabalhando apenas uma noite por semana. Mesmo assim, devido ao meu trabalho prévio e à minha familiaridade com o departamento, o nascimento de Lorcan foi bem tranquilo. O trabalho de parto foi rápido. Após a primeira contração, já liguei para as obstetrizes para avisar que eu estava a caminho; ele foi trazido ao mundo pela minha amiga mais chegada, Natalie Webb-Riley, e tudo correu muito bem.

Lorcan pareceu um pouco abalado após o parto – talvez a rapidez de tudo aquilo tivesse se mostrado um tanto alarmante –, mas seu rosto logo relaxou e ele se revelou um lindo bebê. Dave esteve presente durante o parto e nós dois o seguramos assim que ele nasceu. Tivemos que esperar que o pediatra o examinasse antes que eu pudesse ter alta, por isso Dave correu para casa e pegou Luke para que ele pudesse conhecer seu novo irmão. Consegui ouvir Luke bem antes de vê-lo. Ele gritava a plenos pulmões enquanto corria pelo corredor do hospital, gritando:

– Mamãe, mamãe!

Tenho certeza de que as outras pacientes ficaram contentíssimas.

Luke olhou de relance para Lorcan, mas estava mais interessado na minha camisola porque ela tinha um desenho da Betty Boop na frente! Tínhamos comprado um presente para Luke, como se fosse dado pelo bebê, para que ele não se sentisse excluído. Era o boneco do Peter Pan que ele tanto queria.

Fiquei no hospital apenas algumas horas. Sendo obstetriz, eu sabia que estava bem, sabia com o que precisaria tomar cuidado, e não queria que as outras obstetrizes ficassem me rodeando. Acredite, elas têm mais o que fazer. Nem sequer me deram um leito porque, ainda que eu estivesse cansada, parecia que tudo tinha corrido muito bem: Lorcan tinha um peso saudável – 3,4 kg – e eu estava pronta para ir para casa.

Quando o levei do hospital para nossa casa, Luke ainda não se mostrava muito impressionado. Ele deu uma olhada rápida no irmão, mas logo resolveu que não estava interessado. Adam já passara por aquilo uma vez antes, por isso um recém-nascido também não lhe era algo fascinante.

Mamãe veio nos ver assim que chegamos em casa, visto que eu já estava de pé, lépida e faceira, me sentindo bem. Mais tarde, naquela semana, meu irmão apareceu com seus filhos e depois rapidamente estabelecemos uma rotina e voltamos a tocar a vida.

Lorcan era um bebê adorável, mas chorava muito, o que assustava Luke. Para um montinho de mantas, ele era bem ruidoso e, sempre que começava a chorar, Luke se acomodava com os ouvidos tampados pelos dedos para abafar o som. Certa vez, aquilo foi tão forte para o pequeno que ele chegou a me perguntar:

– Podemos devolver o bebê?

A noite era um pesadelo. Luke fora um bebê calmo. Nós o colocávamos no berço e ele dormia, mas Lorcan era muito mais difícil de lidar. Ele era muito bonito, e muito bonzinho durante o dia, mas, à noite, era um terror.

Quando Luke era bebê, David tinha que se levantar cedo para percorrer uma bela distância até o trabalho, por isso ele o alimentava antes de sair. Mas ter dois filhos pequenos era um ato de equilibrismo e, depois que tivemos Lorcan, ele fazia mais por Luke, que então tinha três anos, enquanto eu cuidava do bebê. Ele ainda precisava acordar cedo para trabalhar, por isso aprendeu a dormir em meio à choradeira.

Em comparação, Lorcan era bem tranquilo durante o dia, ainda mais se estávamos fora de casa. Mamãe e eu costumávamos levá-lo ao Trafford Centre quando chovia, porque era uma ótima maneira de sair tendo que empurrar o carrinho de bebê. Quando Luke era menor, era terrível sair com ele para ir às compras. Ele queria tudo, sempre fazia birra e nós frequentemente o carregávamos para fora das lojas aos berros. Lorcan, por sua vez, era ótimo. Pequenino, ele até chegava a nos ajudar nas compras. Minha mãe dizia: "Pode me ajudar a escolher?", e ele apontava para as coisas de dentro do seu carrinho. Nós podíamos passar o dia inteiro andando por lojas de roupas e ele continuaria sentado, sorrindo, sem emitir um som sequer.

Quando o bebê começou a engatinhar e andar, Luke demonstrou um pouco mais de interesse e se sentava no chão para brincar com ele, o que foi um alívio. Eu me preocupara com a possibilidade de que Luke nunca fosse gostar do bebê. A primeira vez em que demonstrou um real interesse foi quando acabáramos de transformar a garagem na lateral da casa num quarto de brinquedos. Lorcan tinha uns sete meses e Luke chegara em casa vindo da creche, encontrando a sala de recreação acarpetada e decorada.

– Posso brincar no quarto de brinquedos? Com Lorcan? – ele perguntou.

Fiquei contentíssima, pois foi a primeira vez que ele quis se envolver com o bebê. Ele também se tornou bem protetor. Um dia, quando Lorcan tinha cerca de oito meses e Luke quase quatro anos, eu os levei a um parquinho fechado da região. Eles estavam sentados juntos na piscina de bolinhas quando uma garotinha tocou em Lorcan com o dedo do pé sem querer, bem de leve. Ele não se machucou, nem mesmo chorou, mas Luke não aceitou aquilo. Ele ficou bravo e disse para a pobre menina, de modo direto:

– Você chutou o meu bebê!

Desde então, ele cuidou do irmão de inúmeras maneiras.

A Maternidade do Hospital Geral de Trafford – que infelizmente fechou depois do nascimento de Lorcan – teve um papel de destaque em nossas vidas. Além de ser o local de nascimento de Lorcan, também foi onde David e eu nos vimos pela primeira vez, em 2000. Nenhum raio irrompeu dos céus – na verdade, mal me lembro de quando nos conhecemos – e minhas primeiras palavras para ele provavelmente foram: "Você pode assinar esta receita?" ou "Você pode ir ver uma paciente?".

Mas trabalhávamos lado a lado no ambulatório todas as semanas e nos dávamos bem.

David e alguns outros médicos estavam num rodízio de seis meses e, quando o período deles ali chegou ao fim, houve uma grande festa de despedida. Foi uma noite maravilhosa e nós nos entendemos muito bem. Como ele morava no hospital e minha casa ficava naquela esquina, no fim da noite acabamos voltando juntos e o nosso relacionamento começou. Passamos a nos encontrar com uma frequência cada vez maior depois disso. Ele não era o que eu considerava o meu tipo, sendo bem sincera, mas nós nos entendíamos bem demais e houve um clique. Bem no início do namoro, nós simplesmente sabíamos que ficaríamos juntos.

Tive Adam aos vinte anos e por doze passei pelas dificuldades de ser mãe solteira antes que David aparecesse. Nem sempre foi perfeito, mas eu morava com meus pais e eles sempre estavam lá, me apoiando. Eu não teria sido capaz de fazer meu treinamento em obstetrícia ou manter um emprego com turnos de trabalho se não fosse por eles. O trabalho de obstetriz é imprevisível e, se a mulher cujo parto você está acompanhando dá a luz na troca dos turnos, você não vai sair na hora esperada, por isso é crucial dispor de bons cuidadores. Eu também trabalhava nos turnos da noite o máximo possível, o que significava mais tempo diurno com Adam. Eu usava o carro da minha mãe e não tinha nenhuma preocupação com os cuidados com meu filho, portanto, era um arranjo perfeito. Meu pai, infelizmente, faleceu quando Adam tinha cinco anos, e como minha mãe enviuvou muito nova, éramos também uma companhia para ela.

Adam era um garoto muito comportado. Apesar de não ter sido diagnosticado até completar dezoito anos, ele é portador da Síndrome de Asperger e isso costuma fazer com que as crianças se comportem de maneira mais educada que o normal porque elas gostam de seguir regras.

David se entendeu bem com Adam desde o início. Ele tinha uns doze anos quando se conheceram, mas Adam sempre foi tranquilo e fácil de lidar, portanto, nunca foi um problema para ninguém, e isso facilitou com que os dois se dessem bem.

Quase morri de surpresa quando soube que estava grávida de Luke. Na verdade, não estávamos juntos há bastante tempo e, com certeza, não tínhamos planos de ter filhos naquele momento. Eu vinha me sentindo enjoada, mal e, àquela altura, David e eu mantínhamos um relacionamento próximo, por isso simplesmente lhe disse sobre minha suspeita de estar grávida. Ele sempre desejou uma família, e assim que lhe contei, ele me disse que esperava que fosse verdade. Compramos um teste de gravidez e, quando o resultado foi positivo, ele não conseguia parar de sorrir.

Eu estava mais apreensiva – não por causa do bebê, mas por conta do trabalho de parto. Como tantas outras mulheres, passei por maus bocados no meu primeiro parto e, como obstetriz, presenciei muitas mulheres passarem por partos muito difíceis. O intervalo entre as minhas gestações também era grande, e fiquei apreensiva de que pudessem ocorrer problemas. Mas David estava animado e exultante, por isso deixei meus medos de lado. Naquela época, estávamos com pouco mais de trinta anos, e apesar de eu já ter um filho (e teria ficado contente em ter apenas um), todo bebê é uma benção. Depois que você os tem, planejados ou não, eles são seus filhos e você os ama incondicionalmente.

Quando eu estava com três meses de gravidez, alugamos um bangalô próximo à casa de minha mãe. Dave mudara de emprego àquela altura e trabalhava bem longe, por isso só passava os finais de semana de folga em casa.

Luke nasceu em maio de 2001. Seu nascimento foi tranquilo e ele era o bebê dos sonhos, do tipo que todas as mães adorariam ter. Ele sorriu com três semanas, sentou-se antes do tempo e fazia tudo um tantinho antes do que deveria.

Nenhum de nós é muito convencional, ou ligado a tradições, então eu não sentia a necessidade de ter uma aliança no dedo, mesmo com a chegada iminente de Luke. No entanto, ficamos noivos enquanto eu estava grávida, e, em 2003, acabamos "juntando os trapos", principalmente porque nossos pais insistiam em perguntar quando isso iria acontecer. Não houve nenhum pedido de casamento romântico, apenas a decisão mútua de tornar o fato legalizado, e, decididamente, não queríamos uma cerimônia cara.

No primeiro dia ensolarado do ano, em março, fomos ao cartório em Sale, Trafford, com a minha amiga e o marido dela e nossos filhos. Depois voltamos para casa e recebemos a família e alguns poucos amigos. Dave vestiu um terno que já tinha, e meu vestido de noiva foi uma compra impulsiva de algum tempo atrás. Nós já tínhamos decidido nos casar, sem tomar nenhuma providência, mas enquanto minha mãe e eu fuçávamos as lojas em um dos nossos passeios de compras, notei um lindo vestido de seda rosa escuro na altura dos joelhos. Mamãe comentou que ele daria um lindo vestido de casamento – uma alusão que não passou despercebida – então, nós o compramos. Em seguida, Dave e eu resolvemos seguir adiante. Assim, telefonei para o cartório, e ficamos com a data disponível mais próxima que eles tinham a oferecer e tudo ficou resolvido. Tudo muito prático – mas somos assim mesmo.

A cerimônia foi bem memorável porque escolhemos a mais breve possível e porque Luke, que estava com um ano e três meses, passou o tempo todo correndo para cima e para baixo no cartório, depois tentou abrir a porta corta-fogo no fim da sala. No caminho de volta para casa, paramos num bar local, Jackson's Boat, em Sale, para um drinque de comemoração com Julie e Kieran, as nossas testemunhas, e o filhinho deles, Daniel, que é alguns meses mais velho que Luke. Depois de uma rodada, perguntaram-nos se podíamos sair, pois os bebês estavam rindo demais e perturbando os fregueses! De qualquer modo, isso foi bom, pois todos nos aguardavam em casa, e mamãe e tia Vera trabalharam sem descanço para preparar um maravilhoso bufê.

Tudo foi muito improvisado e decidido no último minuto, mas foi ótimo. Infelizmente, a família de Dave mora na Irlanda e não conseguiu voos tão em cima da hora, mas passamos uma tarde muito relaxante com amigos e vizinhos. Ainda tenho meu vestido de noiva pendurado no andar de cima – perfeito, com uma bela mancha de vinho bem na frente!

Capítulo 2

Lorcan, Lily e risadas

Lorcan nasceu em 12 de setembro de 2004, no dia em que Luke iria para a creche pela primeira vez. A creche fica ao lado da escola local, a Escola Primária Woodhouse. Por isso, a entrada de novos alunos é baseada no ano escolar, mas eles bondosamente postergaram a data de início de Luke por algumas semanas, por conta do irmão recém-nascido. Quando o dia acordado chegou, deixei o bebê com minha mãe para poder levar Luke, e andamos a curta distância até a escola juntos. Naturalmente, Luke estava nervoso no princípio e segurou minha mão por um segundo, mas, quando viu todas as outras crianças brincando, ficou ótimo. Mal podia esperar para se juntar a eles e logo se pôs sentado no chão, brincando com carrinhos e blocos Duplo, um brinquedo de montar parecido com o Lego, porém com peças maiores.

Luke ficava na creche por apenas duas horas e meia ao dia, às vezes de manhã, às vezes à tarde, por isso era complicado sairmos. Ou eu tinha que estar lá para apanhá-lo às 11h30 ou tinha que aprontá-lo para as sessões da tarde às 13h00, além de cuidar de um recém-nascido. Mas foi maravilhoso que Luke tivesse se adaptado tão bem, ainda mais quando se tem que lidar com um bebê novo em casa.

Minha mãe está aposentada e mora pertinho da entrada da creche, por isso também passei bastante tempo com ela. Muitas vezes deixei o bebê na casa dela enquanto buscava Luke. Em seguida, voltávamos para lá para almoçar.

Eu ainda trabalhava aproximadamente uma noite por semana e alguns turnos extras quando a maternidade estava com a equipe reduzida, então minha mãe cuidava das crianças se Dave estivesse no trabalho. No restante do tempo, com Luke na creche, eu ficava em casa com Lorcan, mas ele não dava quase nenhum trabalho durante o dia, contanto que pudesse sair de casa. Ele era um bebê muito tranquilo, contente em ficar sentado em seu carrinho durante horas. Fomos ao País de Gales num fim de semana e, enquanto Luke brincava na praia por algumas horas, construindo castelos de areia e pulando no mar, Lorcan permanecia sentado no carrinho, observando o mundo ao seu redor. Não chorou nenhuma vez para ser tirado de lá.

Mas as noites ruins persistiram. Lorcan nunca dormiu uma noite inteira quando era bebê – e raramente o faz agora. Era uma luta para ele dormir e depois ele acordava e berrava durante toda a noite porque, definitivamente, odiava o berço. Aos dez meses de idade, tentei acomodá-lo no quarto com Luke, que dormia numa daquelas camas elevadas com gaveteiro na parte de baixo. Alguns dias mais tarde, entrei no quarto pela manhã e Lorcan estava escalando a escada para a cama de Luke! Voei pelo quarto e o agarrei, bem na hora. Depois disso, nós ficamos com ele em nossa cama, o que está muito longe de ser o ideal. Ele se portou um pouco melhor na cama, mas continuou péssimo para dormir.

Quando ele era um bebê pequeno, ensinei-lhe a linguagem de sinais para bebês. Não existiam aulas por perto naquela época, então comprei um livro e o ensinei a fazer alguns sinais básicos. Ele aprendeu bem rápido e isso foi um verdadeiro alívio, porque ele podia me dizer quando estava cansado ou com fome, e me deixava saber quando precisava de leite.

Lorcan começou a falar bem cedo. Não me recordo de sua primeira palavra identificável, mas foi o de costume, começando com um ba-ba, pa-pa, ma-ma. Eram apenas sons e experimentos, nada notável, uma fala bem normal. Aos dois anos, ele já conversava com frases completas, quase no nível do seu irmão, que era três anos mais velho. Certo dia, quando atendeu a um telefonema de Natalie, a obstetriz responsável pelo seu parto, ele me entregou o telefone, e ela perguntou se era Luke quem tinha atendido. Eu lhe disse que havia sido Lorcan, e ela ficou muito entusiasmada pelo fato de ele falar tão bem sendo tão pequeno.

Quando Lorcan tinha um ano e meio, minha mãe acidentalmente prendeu o indicador dele na porta do carro, e a ponta foi esmagada. Minha pobre mãe ficou tão abalada que não conseguiu nos acompanhar até o hospital. Como você pode imaginar, eu também estava chocada, porque ele era novo demais. Corremos para a Emergência do Hospital Geral de Trafford e, ao chegarmos lá, a enfermeira me perguntou a data de nascimento dele. Meu estado era tal que eu não pude me lembrar, só conseguia chorar, e dizer:

– Ai, meu Deus, eu não sei.

Ele machucou somente a pontinha, e descobrimos que nada havia sido quebrado, então tudo podia ter terminado bem pior, mas o pobrezinho do Lorcan obviamente sentia dor e berrava a plenos pulmões, o que tornou o tempo na lotada sala de espera ainda mais excruciante. Por fim, fomos levados para a sala de raio X com Lorcan ainda gritando alto. Depois fomos conduzidos até a médica e, por mais estranho que pareça, no instante em que ela mostrou a chapa de raio X, Lorcan se calou para olhar. Até aquele instante, todo o maldito hospital – e provavelmente metade de Manchester – conseguiu ouvi-lo, mas ele ficou paralisado assim que ele viu a imagem da mão na caixa de luz do raio X. Fiquei tão aliviada – principalmente porque ele ficaria bem, mas também porque o barulho finalmente tinha cessado!

Lorcan era um bebê de bela aparência, então, toda vez que íamos às compras, ou quando David o levava consigo para comprar jornal, os adultos lhe sorriam e o elogiavam. Mas, se alguém falasse com ele, ele se escondia atrás do balcão. Em casa, com a família, ele era uma verdadeira matraca e adorava aprender palavras novas. Quando ele tinha um, dois anos, eu considerava perfeitamente normal que ele ficasse tímido e se escondesse de estranhos. Não demos muita importância a isso – era apenas a reação normal de um menininho diante de rostos que ele não conhecia. Em retrospecto, acredito que deve ter existido outros sinais em seus primeiros anos de vida, mas quando a criança é nova, essas coisas não são consideradas um comportamento incomum.

A questão é que Lorcan nunca foi tímido de forma geral. Ele poderia jogar contente alguma coisa em algum desconhecido ou sorrir para ele, e, mesmo bem pequeno, não fazia o movimento clássico de se esconder em minhas roupas ou atrás das minhas pernas. Ele apenas fitava as pessoas. Toda vez que alguém se dirigia a Lorcan, ele os encarava e não dizia uma palavra sequer.

Quando Lorcan tinha mais ou menos um ano e meio, ele parecia uma vitrola. Certo dia, Natalie e eu fomos até o Trafford Centre com Dave, onde nos encontraríamos com algumas amigas obstetrizes para almoçar. Lorcan falou sem parar da nossa casa até a casa de Natalie e, assim que minha amiga entrou no carro, ele se calou. Permaneceu sentado em sua cadeirinha e não proferiu palavra alguma.

Isso pode não ser extraordinário numa criança pequena. O que talvez fosse mais fora do comum era o fato disso não ser apenas com adultos. O tratamento de silêncio também se estendia para as crianças.

Em certa ocasião, quando Lorcan estava com dois anos, minha tia Vera veio visitar minha mãe e trouxe consigo o neto Jacob, que tinha quase a mesma idade de Lorcan. Minha mãe estava acostumada às conversas animadas de Lorcan e acreditou que os dois se dariam bem, por isso ficou com ele enquanto eu descansava depois de um turno noturno. Ele ficou lá por duas horas – nenhuma palavra. Ele falava muito bem em casa, mas naquelas duas horas, foi Jacob quem falou e brincou o tempo inteiro – e meu filho não disse nada. Mais uma vez, pensamos que fosse normal crianças ficarem tímidas ou caladas em determinadas situações, ainda mais antes de começarem a frequentar a creche ou a escola. Como mãe, você não dá importância. É só quando isso persiste que se torna um problema.

No aniversário de Luke, em maio de 2007, fizemos uma Festa de Ciências Maluca em casa com nove meninos da escola, sendo que a maioria conhecia Lorcan. O organizador da festa mostrou aos garotos vários experimentos científicos, deixando-os tomar parte em alguns, e eles se divertiram imensamente. Mas eu me lembro de ter ficado intrigada porque Lorcan se recusou a participar e, mais uma vez, não disse nada durante toda a festa.

Alguns meses mais tarde, depois que ele completou três anos, estávamos no Centro de Aprendizado Inicial (Early Learning Centre) local, numa terça-feira, quando eles deixavam que as crianças brincassem com muitos brinquedos. De repente, um menino com mais ou menos a idade de Lorcan apareceu de repente e Lorcan quase morreu de susto, recuando alguns passos e correndo, o que me pareceu estranho.

Quando ele pensa que estamos apenas nós, Lorcan é, e sempre foi, um rapazinho barulhento, vivaz e travesso. Quando ele tinha dois anos, nossa família inteira foi passear na Disneylândia, em Paris. Lorcan gritou durante todo o voo de cinquenta minutos, mas, quando chegamos esgotados ao aeroporto, ele ficou bem.

Enquanto esperávamos pela bagagem, eu o levei para um cantinho para usar seu penico portátil – um dispositivo de plástico com um saco descartável. Depois que ele o usou, dei um nó no saco cheio de xixi e pedi a ele que o segurasse por alguns segundos enquanto eu guardava o penico na sacola. O danadinho calmamente o segurou e o colocou na esteira de bagagem com certa alegria. Perguntei a ele o que fizera com o saco e, feliz, Lorcan apontou, sorrindo docemente o tempo todo. Tive que correr ao longo da esteira rolante para recuperar o saco, escondendo minha vergonha dos meus companheiros de voo.

A loja de souvenires em nosso hotel estava repleta de produtos da Disney e Lorcan adorou tudo, então compramos a contragosto uma imensa caneta para contentá-lo. Enquanto saíamos da loja, ele fez uma dancinha e começou a cantar bem alto:

– Esta é a minha caneta grandona.

Ele pensou que éramos os únicos ali. Não percebeu que estava sendo observado por uma plateia de umas vinte pessoas que caiu na risada.

Como todos que já foram à Disneylândia sabem, as personagens famosas – Mickey, Minnie, Pluto, Pateta e os outros – não ficam apenas nos parques temáticos, mas frequentemente são vistos nos hotéis e nas redondezas. As crianças correm para tirar fotos com eles, e Luke sempre estava disposto a tirar uma, mas Lorcan sequer se aproximava deles. Ele não os temia, apenas se recusava a se aproximar o bastante para uma foto. Enquanto comíamos, ele ficava bem contente se eles se aproximassem, mas se estivessem de pé, ou o chamassem, ele não aceitava de jeito nenhum. Pensando bem, orientamos as crianças para que não falem com estranhos, então isso é perfeitamente normal.

Em maio de 2006, a família inteira foi para a Irlanda para visitar os parentes de David e para assistir ao casamento da tia dele, Caela. Os pais de Dave e a irmã Stephanie tinham nos visitado pouco depois do nascimento de Lorcan, mas a maioria da família não conhecia seu membro mais novo, que estava com um ano e meio na época. Entramos na igreja para assistir à cerimônia e fomos conduzidos até a segunda fileira, mas Lorcan estava muito travesso naquele dia. Ele insistia em correr e subir no altar, e nós continuamos a pegá-lo e arrastá-lo de volta ao nosso lugar, onde ele se debatia até se soltar novamente.

A cerimônia foi muito bonita e uma amiga da noiva, que tinha uma voz adorável, fora escalada para cantar. Ela mal chegara ao refrão de sua performance melódica quando Lorcan se lançou numa versão aguda de seu próprio coro litúrgico matrimonial. Uma igreja cheia de convidados escondeu o rosto atrás do folheto das canções enquanto Lorcan cantava cada vez mais alto, de fato incorporando o papel, mas Dave e eu ficamos mortificados.

Por fim, aquilo se tornou demais e Dave o levou para fora, sendo rapidamente seguido por Luke. Mas a dupla estava querendo aprontar. Houve um momento constrangedor quando algumas pessoas chegaram ao cemitério adjacente para depositar flores, só para encontrar Luke e Lorcan literalmente dançando sobre alguns túmulos. Desnecessário dizer que batemos em rápida retirada para o hotel.

Na manhã seguinte, Dave estava descendo para o café da manhã com Lorcan, quando ele notou um cartão pendurado na maçaneta de um quarto que dizia: Não perturbe.

– O que é isso? – perguntou ele.

Dave explicou que eles não queriam que ninguém os incomodasse, provavelmente porque ainda estavam dormindo. Lorcan levantou o olhar para Dave, sorriu e bateu à porta para depois sair em disparada pelo corredor, seguido rapidamente pelo seu envergonhado pai.

Enquanto voltávamos para casa de balsa, Lorcan começou a gritar o mais alto que podia. Ele parecia não gostar do barulho dos motores e nada que pudéssemos fazer o acalmava. A gritaria estava se tornando muito alta, perturbando as outras pessoas, e nós estávamos verdadeiramente embaraçados por ele não ficar calmo. Em desespero, corri até a lojinha de souvenires para comprar algo que o distraísse. Um macaquinho peludo chamou minha atenção. Paguei rapidamente enquanto ouvia os gritos de furar os tímpanos de Lorcan. Entreguei-o a ele e ele imediatamente ficou quieto. Alívio por todos os lados!

Lorcan adora macacos. Ele tem vários em seu quarto e sempre os coloca ao redor da cama quando está se aprontando para ir dormir.

– Eles estão aqui para me proteger – diz ele.

– Do que, Lorcan? – perguntei uma vez, mas ele não soube explicar.

Sempre tivemos animais de estimação em casa e, quando os mais novos nasceram, tínhamos uma gata chamada Flo, mas ela já era adulta e não interagia muito. Ainda que as crianças a adorassem, ela não lhes era muito interessante e já estava bem velhinha, com mais ou menos oito ou nove anos, quando Lorcan nasceu. Ela se acostumara a viver num lar relativamente tranquilo, comigo, David e Adam. Por isso, quando as crianças já tinham idade suficiente para começar a brincar, correndo e gritando pela casa, ela passou a ficar bastante tempo no andar de cima!

Quando Lorcan tinha três anos, resolvemos ter um cachorro, principalmente por causa de Adam. Finalmente ele fora diagnosticado com Síndrome de Asperger e vinha passando por um período difícil. Ouvíramos e lêramos bastante sobre animais e cachorros e como eles podem ajudar as pessoas nessa condição, por isso procurei saber mais acerca do assunto. Eu nunca tive um cachorro antes e não sabia nada a respeito deles. Comecei a pesquisar as diferentes raças e acabava sempre chegando aos Terriers do Tibete, mas eu não estava cem por cento certa. Em seguida, por sorte, estávamos caminhando num parque um dia e vimos um lindo filhotinho, branco com manchas marrons. Perguntei à dona:

– Que raça ela é?

– Ela é uma Terrier do Tibete – a dona respondeu.

Fui fisgada.

Procuramos em todos os lugares e demorei a encontrar a fêmea que eu queria – basicamente porque tínhamos escolhido o nome Lily, por causa da Lily Potter dos livros de Harry Potter! E eu queria que fosse branca. Também existem os de pelo preto ou areia, mas eu preferia os brancos. Passei horas na Internet e ao telefone, e havia muitos cachorros machos, e cachorros pretos, mas a única fêmea branca que encontramos estava em Dagenham, a 320 quilômetros. Destemidos, todos nós dirigimos até lá para buscá-la e isso nos custou quatro horas, mas não nos desapontamos. Quando chegamos lá, nós nos deparamos com uma filhotinha branca muito fofa e nos apaixonamos. A decisão estava tomada e a trouxemos direto para casa.

Os meninos todos se afeiçoaram, e ela era realmente muito linda. Lorcan a adorava, mas, no início, era um pouco bruto com ela em seu modo de brincar. Felizmente, ela se revelou uma cadela extremamente tolerante. Ele a segurava de ponta cabeça e a arrastava, brincava de cabo de guerra e a perseguia pela casa. Ele jamais a machucou, mas sempre brincou de maneira brusca.

Por Lily ter um sobrepelo e um subpelo, escová-la é muito importante para evitar os nós e a aspereza, por isso ela vai a um pet shop onde passa pelos cuidados de uma mulher adorável chamada Gill. Ela é cuidada a cada oito semanas e sempre se mostra relutante em passar pelas portas da loja – acredito que mais pelo fato de não querer que eu a deixe lá do que pelo banho em si. Contudo, como ela é um animal que fica dentro de casa e é bem bagunceira, precisa mesmo de banhos regulares. Isso custa um bocado, dependendo do quanto o pelo dela está embaraçado, mas vale cada centavo. Eu também dou banho nela em casa, mas Lily nunca fica tão bonita como quando vai ao pet shop.

Certo dia, quando Lorcan tinha uns cinco anos, eu acabara de pegar Lily no pet shop, e ela estava linda, toda branquinha. Na verdade, ela estava tão branca que Lorcan deve ter decidido que ela era uma tela em branco, porque, logo em seguida, desenhara três lindas listras de cor lilás com caneta hidrográfica na pelagem lateral. Lily, sendo a cadela tranquila que era, deixou que ele fizesse aquilo. Na verdade, eu não o vi desenhar, mas eu fazia ideia de quem fosse o responsável e, quando o interroguei, ele só deu uma risada travessa. Recebemos uns olhares engraçados e alguns comentários quando eu a levei para passear, mas as pessoas que conheciam nossa família nem precisaram perguntar de quem era aquela obra de arte. Felizmente, a tinta acabou sumindo em alguns dias.

Quando as crianças eram pequenas, elas tomaram todas as vacinas que deveriam, a despeito do susto da MMR. Isso, se você se lembra, foi uma controvérsia a respeito da vacina combinada contra sarampo, caxumba e rubéola depois que um artigo no periódico médico *Lancet* sugeriu, em fevereiro de 1998, que ela poderia causar autismo. Esse artigo já foi desconsiderado.

Nós pesamos os riscos e avaliamos os estudos e, pessoalmente, sentimos que preferíamos ter nossos filhos vacinados a correr o risco das doenças. Tanto Adam quanto Lorcan demonstraram traços da Síndrome de Asperger quando ainda eram bebês pequenos, antes das vacinas. Quaisquer problemas que eles tenham, existiam desde o início, disso eu tenho certeza.

O livro predileto de Lorcan, quando ele era pequeno, era *Beijinhos Não Dou!*, de Julia Jarman. É um livro com ilustrações muito divertido sobre um garotinho chamado Jack que detesta afagos e beijos, e não é de se admirar que ele se identificasse com a história. Desde muito novo, Lorcan detestava ser tocado ou afagado. Se eu dissesse a Luke "Posso receber um carinho?", ele responderia "Claro que pode". Nós não nos abraçamos tanto agora, porque ele está um pouco mais velho, mas ele ainda o faria se eu pedisse.

Com Lorcan isso nunca foi uma opção. De vez em quando, se estivesse triste, ou se Luke tivesse sido maldoso com ele, ou se ele tivesse se machucado, eu conseguiria surrupiar um abraço e ele ficaria comigo por um tempo, mas ele não gostava e ainda não gosta disso. Mesmo hoje em dia, às vezes roubo um beijo quando ele está dormindo, mas eu jamais tentaria isso quando ele está acordado porque sei que isso o aborreceria. Eu não o seguraria e abraçaria durante o dia, mesmo que de brincadeira, porque isso o angustiaria – muito além da brincadeira entre mãe e filho, que poderia simplesmente dizer: "Mãe, me solta!".

Ele especialmente detestava que seu pescoço fosse tocado e a pele ali parece incrivelmente supersensível. Mesmo quando pequeno, ele sempre quis lavar o pescoço sozinho, e eu não o secava, porque isso o enlouqueceria.

Devido ao fato de Lorcan nunca ter dormido bem, mesmo quando bebê, nós demos início a uma rotina depois que Luke começou a frequentar a escola e estava aprendendo a ler. Dave dava banho nos meninos, depois eu lia com Luke enquanto ele levava Lorcan para a cama. Ele não ia dormir sem alguém no quarto, por isso Dave ficava com Lorcan até ele adormecer, ficando sentado ou deitado na cama. Algumas vezes, Lorcan segurava David pelo pescoço, para garantir que ele não saísse, e acabava adormecendo com o braço ali, portanto, sem querer, Dave recebia muitos abraços. Nunca permitimos que Lorcan chorasse na hora de ir dormir. Algumas crianças sentem medo de fato, e eu acredito que seja muito pernicioso deixá-las chorando sozinhas. Não sabemos por que ele tinha medo quando pequeno, e ele nunca nos contou.

Até a avó teve um encontro íntimo inesperado com Lorcan certa noite, quando saímos para uma comemoração de Natal. Ela não estava muito acostumada com a rotina dele para dormir, por isso o acomodou na cama e disse boa-noite. Quando ela se virou para sair do quarto, ele puxou a ponta do edredom e deu uns tapinhas na cama, num convite, sorrindo carinhosamente para ela, que logo entendeu que ele estava acostumado a ter um de nós deitado com ele. Ela teve que ficar deitada até ele adormecer, depois minha pobre mãe descobriu que não conseguia se levantar. No fim, teve que rolar para fora da cama até o chão para se libertar.

Por mais que não existam abraços e beijos, tais momentos de intimidade se tornam mais importantes quando uma criança se sente pouco à vontade com a maioria dos contatos físicos.

De certa forma, tive sorte por ter passado por tudo isso antes. Não gostar de ser acarinhado ou tocado é um traço comum de muitas das crianças com algum grau de autismo, e Adam também não gostava de ser abraçado.

Com Lorcan, qualquer demonstração de afeto era rejeitada. Se eu dissesse "Eu te amo", não haveria reação alguma, nenhuma mesmo. Mas, por eu já ter passado por isso antes, isso não me aborrecia tanto quando poderia. Se isso já não tivesse acontecido, sei que estaria pensando "Ele não gosta de mim. Por que ele não me ama?". Essa seria uma reação normal. Estou certa de que muitas mães pensam "O que eu fiz?" e se questionam se deixaram de criar vínculos com seus bebês adequadamente. Se eu não soubesse que Lorcan me ama de verdade, eu poderia estar em frangalhos. Pode parecer que ele é frio ou que não se importa, mas sei que isso não é verdade.

Dave também enfrentou bem a situação. Ele é sempre muito gentil e nunca pressiona, mas está constantemente dizendo algo do tipo: "Lorcan, venha ver esta foto no jornal" e Lorcan se senta perto de nós. Ou, se estamos lendo, ele costuma se jogar entre nós dois no sofá. Ele não é carinhoso e, mesmo quando era menor, não era de vir se sentar no colo, mas estava sempre conosco, e isso nos dá uma doce sensação de proximidade.

Claro que existiram momentos em que eu desejei que ele se aproximasse e me abraçasse, ou dissesse que me amava. Isso seria maravilhoso, mas ele não vai fazer isso e é assim que são as coisas.

Capítulo 3

Nervosismo na creche

Quatro meses após o terceiro aniversário de Lorcan, em janeiro de 2008, ele começou a frequentar a Creche Woodhouse, a mesma que Luke frequentou antes de ir para a pré-escola. Lorcan estava bem familiarizado com o prédio, com as professoras e com as outras crianças porque costumava ir lá comigo todos os dias, para levar e buscar Luke. Desde bem cedo, eu o tirava do carrinho e o colocava para brincar no chão, ou as professoras o pegavam no colo, com isso ele estava acostumado ao ambiente da creche e não seria um choque muito grande quando chegasse a hora de ir para lá.

Por causa da familiaridade, e por ele ser uma criança muito barulhenta e expansiva em casa, pensei que ele se adaptaria mais fácil do que Luke, que era um menino bem mais calmo. Mas eu não podia estar mais errada.

No início, nós o deixamos à vontade. Primeiro, fizemos uma visita na qual permaneci ao seu lado, e ele ficou bem; ficou sentado bem contente. Mas quando tentei deixá-lo, ele não ficou nada feliz. Gritou até não poder mais. Acreditando que isso fosse totalmente normal no começo, e que ele se acalmaria depois que eu tivesse ido, afastei-me com relutância e o deixei ali. Nas primeiras semanas, ele ficaria apenas metade do período, em vez de o tempo todo, por isso acreditei que ele se acostumaria.

Depois de alguns dias, porém, a professora assistente, a senhora Gayner, me puxou de lado.

– Ele se recusa a tirar o chapéu e o casaco – disse ela. – Não tira nem mesmo as luvas, durante todo o tempo.

Entendemos de pronto que essa era a sua maneira de se opor ao fato de eu deixá-lo, e, obviamente, fiquei angustiada, porque meus outros dois garotos não reagiram desse modo. Luke se mostrara um pouco ansioso e segurara minha mão, mas logo a soltara para brincar. Contudo, quando você tem um filho que fica aos berros toda vez que você o deixa, por mais que parta o seu coração, não há muito o que se possa fazer. Fiquei assustada e muito preocupada, e precisei de todas as forças para deixá-lo lá todos os dias, mas eu conhecia bem os funcionários da creche e sabia que eles me contariam caso houvesse algum problema. Eu também sabia que seria errado tirá-lo da creche. Eu confiava na equipe porque eles são brilhantes, e você simplesmente tem que superar, custe o que custar.

Nessa idade, é necessário mandá-los para a creche porque a alternativa de colocá-los na escola um ano e meio depois, tendo-os mantido em casa em tempo integral, seria um choque ainda maior. A creche é uma maneira excelente de se acostumar a ir para um lugar todos os dias e de se misturar a outras crianças, aprendendo a interagir socialmente e a se comportar num ambiente escolar.

– O que vamos fazer? – perguntei à senhora Fannon, a professora.

Eu não tinha a mínima ideia de como lidar com a situação, mas esperava que, como professora da creche, ela tivesse as respostas. Tive razão em botar fé no seu profissionalismo, pois ela e a equipe foram brilhantes. Eles formularam um plano no qual eu o deixava lá por vinte minutos de cada vez, aumentando esse tempo aos poucos. Isso levou semanas, mas funcionou e, no fim do processo, ele ficava o dia todo.

Lorcan era um dos mais velhos daquela turma e, por isso, ele dispôs de dezoito meses completos na creche antes de ingressar na escola. Dessa forma, ele teve mais tempo para lidar com o trauma de começar num ambiente novo, antes de iniciar a pré-escola.

O período de adaptação levou algumas semanas, o que não me causou problemas porque eu não trabalhava, mas caso eu fosse uma mãe que precisasse voltar ao trabalho e dependesse dessas horas da creche, aquilo teria sido um pesadelo. Depois da adaptação, ele foi alegre todos os dias e ansiava por brincar com as outras crianças. Ele adorava a escola. Até hoje, nunca se recusou a ir.

Alguns meses depois que Lorcan se adaptou, fui buscá-lo como de costume, e a senhora Fannon me abordou, perguntando se podia trocar uma palavrinha comigo. Ela me acomodou e disse:

– Estamos verdadeiramente preocupados porque Lorcan não está falando.

Uau! Isso não se parecia em nada com meu danadinho barulhento. Ela me contou que notara o sorrisinho que ele colava no rosto toda vez que ficava ansioso, por isso soube que ela prestara atenção nele de verdade.

– No começo ele dizia uma palavrinha aqui ou acolá em resposta a uma pergunta direta – explicou ela. – Depois foi ficando cada vez mais quieto para, em seguida, deixar de falar por completo. Não conseguimos que ele diga absolutamente nada.

Assim que ela terminara de falar, intercedi e disse:

– Acha que pode ser mutismo seletivo?

Não faço a menor ideia de onde isso veio, mas eu devo ter lido sobre o assunto em algum lugar sem nem perceber que estava absorvendo a informação. Não me ocorrera até aquele instante que algo grave estivesse acontecendo. Eu só pensei que ele estava descontente por se separar de mim.

A senhora Fannon se mostrou aliviada com a minha reação. A equipe pesquisara essa condição antes de me procurar, e ela até imprimira um folheto para me dar, mas acho que eles estiveram preocupados, pensando em como eu reagiria à informação, talvez julgando que eu ficasse histérica ou simplesmente me recusasse a acreditar que houvesse algo de errado com ele. Os funcionários das creches devem testemunhar todo tipo de reação por parte dos pais quando levantam uma questão, mas eu tenho a tendência em ter um ponto de vista bem prático toda vez que um problema se apresenta, por isso permaneci bem tranquila. Pensei: "Certo. Temos um problema. Vamos em frente lidar com isso, então".

Facilitou o fato de que a equipe e eu pensássemos de que se tratava da mesma coisa. Uma vez que decidimos que aquilo era mutismo seletivo, poderíamos seguir em frente.

Assim que voltei da creche e cheguei em casa, arregacei as mangas e parti para a ação. Como tudo aquilo era muito novo para mim, fui para o computador e comecei a procurar mais informações. Encontrei o site da SMIRA (sigla para *Selective Mutism Information and Research Association*, ou, Associação de Pesquisa e Informação sobre o Mutismo Seletivo; smira.org.uk), que foi bem instrutivo e também incluía um fórum que me possibilitou ler as experiências de outras pessoas e obter conselhos. Além de ser uma excelente fonte de informação, ele também, de alguma forma, ajuda-nos a perceber que não estamos sós, que outras pessoas já passaram pela mesma situação.

Para aqueles que não estão familiarizados com o mutismo seletivo – ou seja, a maioria das pessoas –, ele é um transtorno de ansiedade no qual uma pessoa fala fluentemente em algumas situações, mas se torna completamente muda em outras. De acordo com a SMIRA, isso afeta seis em cada mil crianças, mais ou menos o mesmo percentual do autismo clássico, no entanto, como logo descobri, bem poucos médicos ou pediatras estão treinados a lidar com isso, se é que já ouviram falar do assunto.

Não quis incomodar Dave no trabalho, então esperei até que ele chegasse em casa para contar o que a senhora Fannon dissera. Por ele ser clínico geral, perguntei se ele tivera qualquer tipo de treinamento numa situação como essa, ou se sabia algo a respeito do assunto. Ele sequer ouvira falar disso, o que provavelmente acontece com a maioria dos clínicos gerais. No entanto, se você tem um problema como esse, o seu médico seria a primeira pessoa que você procuraria. A menos que tenham alguma experiência pessoal no assunto, eles não sabem nada a respeito e, consequentemente, não são capazes de detectá-lo. Em alguns casos, soube de pais que ouviram: "Isso passa com a idade". Na maioria dos casos, porém, isso não é verdade. Se nada for feito enquanto ainda são novos, a situação pode até se agravar quando a criança cresce. Existem adultos com mutismo seletivo que são incapazes de falar em determinadas situações e, obviamente, essa é uma condição de fato debilitante na idade adulta.

A creche sugeriu que a nossa primeira tentativa deveria ser marcar uma consulta com o departamento de fonoaudiologia local; disseram-me que solicitariam uma consulta e que nós, como pais, também deveríamos fazer o mesmo. Fiz a solicitação e, algumas semanas mais tarde, recebi uma carta dizendo que teríamos uma consulta no período de dezoito semanas após o nosso pedido. Era tempo demais para esperar já que Lorcan estava tão perto de começar a escola e nem mesmo conseguia lidar com a creche. Não fiquei nada satisfeita. Todas as pesquisas que fiz diziam que uma intervenção precoce era crucial, por isso eu não queria ficar esperando.

Determinada a acelerar o processo, liguei para o centro de fonoaudiologia e perguntei:

– Podemos pagar uma consulta particular? – eu estava preparada a pagar 400 libras de uma vez, só para ir lá e obter alguma ajuda.

A senhora do outro lado da linha cobriu o bocal do telefone com a mão e sussurrou:

– Esta mulher está perguntando se pode pagar consulta particular... Não? – em seguida, voltou a falar comigo: – Lamento, a senhora não pode.

– Mas esta criança não consegue falar! Ele está na escola e não tem como dizer a ninguém se está machucado. Não pode dizer que precisa ir ao banheiro. Não tem como contar a ninguém se bateram nele ou se alguém o maltratou. Como isto pode não ser urgente? – eu estava fervendo de raiva. Àquela altura, eu estava ficando verdadeiramente descontrolada, principalmente pela frustração. Eu podia enfrentar o fato de que ele tinha um problema, mas precisávamos lidar com aquilo.

Felizmente, conseguimos uma consulta logo depois disso. Em poucas semanas, finalmente conversamos com uma terapeuta da fala – só para descobrir que ela nunca lidara com esse problema antes, o que foi um grande obstáculo. Ela conhecia a teoria e era uma mulher bem simpática, mas não tinha nenhuma experiência em casos assim; portanto, a escola ficou responsável por lidar com aquilo.

Como todas as pessoas que encontravam Lorcan pela primeira vez, a terapeuta da fala tentou conversar com ele. Ir a uma dessas consultas médicas pela primeira vez pode ser verdadeiramente intimidante. Você praticamente os vê pensar: "Como você é em casa? Você é uma mãe ansiosa? O sufoca? Ou é distante?".

Às vezes, você sente como se eles estivessem tentando flagrar um deslize seu. Conforme o tempo passou, cada novo perito tentava falar com Lorcan e eu dizia: "Vá em frente". Mas ele sempre os encarava. Às vezes sorria, dependendo se gostava deles ou não, mas nunca falava.

A terapeuta da fala fez algumas avaliações não orais, fazendo com que ele apontasse para as respostas, e ele pontuou muito bem nisso. Infelizmente, isso tampouco ajuda, porque muitas vezes as pessoas pensam: "Ah, ele é inteligente. Vai falar quando estiver pronto".

Frequentemente é assim que acontece com crianças com mutismo seletivo, porque elas tendem a se sair bem academicamente. Se você tem uma criança "tímida" que se senta no fundo da sala ou na creche, faz as tarefas e não causa nenhum problema, o que você faz a respeito? Na maioria dos casos, nada. É fácil demais supor que está tudo bem.

Esse é um problema. O outro é que algumas pessoas acreditam que ele está sendo teimoso. Entendo isso. Eu mesma cheguei a pensar isso de vez em quando, no começo, perguntando-me se ele não fazia aquilo de propósito. Mas não é possível sustentar tal comportamento todos os dias numa jornada escolar integral. Mesmo sendo muito teimoso, isso seria simplesmente impossível.

De qualquer forma, depois dos testes iniciais, nós não obtivemos um diagnóstico formal, mas a terapeuta concordou conosco e com a creche: Lorcan sofria de mutismo seletivo.

Àquela altura, eu já tinha fortes suspeitas de que Lorcan sofresse de algum grau de autismo, por isso toquei no assunto com ela.

– Tenho um filho mais velho com autismo e acredito que Lorcan também seja autista – eu disse.

Ela realizou mais alguns testes e me disse que não via nenhum indício.

– Não? – repliquei. – Pois eu vejo – uma mãe simplesmente sabe.

De todo modo, a terapeuta deu um programa à creche, chamado "Quebrando as Barreiras", para ajudar Lorcan, mas a questão é que ela nunca se deparara com aquilo antes e não tinha conhecimento algum de como colocá-lo em prática adequadamente. Ela literalmente leu um papel impresso por ela própria para as professoras da creche, mas não poderia ficar ali para falar a respeito, nem responder a perguntas, porque não tinha nenhuma experiência no assunto.

Antes de recebermos o programa, inicialmente fizéramos tudo o que não se deveria ter feito para levá-lo a falar na creche, como suborná-lo com doces e brinquedos, perguntar-lhe o motivo de ele não falar e questionar se havia algo errado. Contudo, depois que percebemos que ele não tinha nenhum controle sobre aquilo, e que ele era fisicamente incapaz de falar, nós, obviamente, paramos de fazer tudo isso, porque realmente não estava ajudando.

Perguntar a ele o motivo de ele não falar na escola foi uma perda de tempo, porque ele simplesmente não sabia explicar.

Uma vez, quando tentei arrancar a resposta dele, ele apenas apontou para a garganta, o que pareceu reforçar a teoria de que o mutismo seletivo é tanto físico quanto mental, que é impossível para uma pessoa com mutismo seletivo falar em determinadas situações.

Da mesma forma, por ser um transtorno de ansiedade, perguntas constantes podem ser contraproducentes, deixando a criança sob pressão ainda maior e, portanto, aumentando a ansiedade.

A equipe da creche foi verdadeiramente maravilhosa. Eles prepararam para ele um PEI – Plano de Educação Individual –, estabelecendo o que iriam fazer e quais eram todas as ações corretas: não fazê-lo falar, não suborná-lo, tentar encorajá-lo a rir e participar. O tratamento é basicamente projetado para aliviar a pressão de cima dele e deixá-lo saber que ele não tem que falar se não quiser. Depois eles surgiram com um programa bem intenso, baseado em brincadeiras na fase inicial

Basicamente, um cuidador trabalha sozinho com a criança para ela estabelecer certa ligação e se divertir. Em seguida, eles começam a usar instrumentos musicais, apenas fazendo barulho, então assopram numa flauta doce ou batem num tambor. Depois disso, eles imitam o som de animais e daí por diante. Parece que isso é algo que qualquer um pode fazer, mas é complexo, e a escola teve dificuldades porque, após o contato inicial, eles não obtiveram apoio posterior do departamento de fonoaudiologia.

Só havia duas funcionárias na creche – a professora, a senhora Fannon, e a professora assistente, a senhora Gaynor, a quem Lorcan se acostumou a seguir tal qual uma sombra. A creche fica bem perto de casa, então eu costumava passear com a cachorra onde as crianças brincavam do lado externo, e aproveitava para espiar entre as grades para ver o que elas estavam fazendo. Sempre soube onde Lorcan estaria: segurando a mão da senhora Gaynor.

Na função de professora, a senhora Fannon tinha que ensinar toda a classe, mas enquanto as outras crianças estavam brincando do lado de fora, a senhora Gaynor frequentemente levaria Lorcan para dentro para pegar os instrumentos musicais, ou brincar com algum jogo. Ela trabalhava arduamente com ele em três sessões semanais. Depois de um tempo, eles introduziram outra criança, e depois mais outra, para encorajá-lo a falar para algumas outras pessoas, e, no fim, outro adulto, a professora. Parece estranho e muito demorado, mas funcionou.

Uma das coisas de que dispúnhamos na creche era um livro falante, que nos permitia gravar dez segundos de áudio por vez. Então, em casa, desenhávamos algumas coisas e depois falávamos a respeito disso para o livro falante, para depois levar para a escola e deixar que a senhora Gaynor ouvisse. Ele não se importava com isso e, no começo, foi uma ferramenta útil para que ela ouvisse a voz dele. Muitas vezes desejei, enquanto conversávamos em família, que todas as outras pessoas pudessem ver o quanto ele era barulhento e expressivo em casa, mas éramos apenas nós e minha mãe que víamos o verdadeiro Lorcan.

No Natal, todas as crianças participaram de uma peça natalina da creche, e Lorcan foi um dos três reis magos. A creche fornecia o figurino, então não houve necessidade de eu produzir uma túnica ou um chapéu para a ocasião.

Como eram todos muito novos, a peça foi bem simples, apenas uma pequena apresentação para pais e avós. No começo, fiquei preocupada que ele tivesse falas, ou que fosse o único a não conseguir falar, mas não eram todos que tinham o que dizer, e vários deles falaram errado, como esperado.

Claro que Lorcan foi um dos que não tinha que dizer coisa alguma – e ele não o teria feito de qualquer modo –, mas ele se saiu muito bem e fez tudo o que deveria, depositando o presente precioso ao lado da manjedoura. Ele estava muito contente e pareceu se divertir o tempo todo.

Aos três anos de idade, Lorcan adorava *High School Musical*. Ele costumava assistir aos filmes uma vez atrás da outra e imitava todos os passos das danças – contanto que ninguém estivesse olhando. Ele também sabia as letras das canções cantadas pela personagem de Zac Efron, Troy, e as cantava bem alto sem cessar. Ele ficava menos inclinado a imitar os papéis femininos!

Por querermos que a creche o visse como ele era em casa, até fizemos um DVD dele cantando essas canções para provar que ele podia falar e cantar. Lorcan concordou que a classe assistisse ao vídeo e, embora jamais falasse ou cantasse diante deles daquela forma, sorriu contente enquanto todos assistiram.

O programa da creche funcionou muito bem. Ele começou a responder com uma palavra aqui ou acolá e fez progressos lentos, mas constantes, durante todo o ano.

Após Lorcan estar no programa há alguns meses, a senhora Fannon anunciou que estava grávida. Esse foi um golpe terrível para nós, visto que ela foi um grande apoio; entrei em pânico sem saber quem iria substituí-la em sua licença maternidade e o impacto que isso teria em Lorcan. Conversei com um dos diretores da escola que entrevistaria os candidatos ao posto de professor e cheguei ao extremo de abordar uma antiga professora da escola numa aula de natação para tentar persuadi-la a aceitar o emprego!

Quando fiquei sabendo que o substituto da senhora Fannon seria um homem, não soube muito bem o que esperar. Mas assim que ele chegou, meus medos se dissiparam. O senhor Mottershead foi absolutamente brilhante. Ele foi muito bom com Lorcan, e com todas as outras crianças. Com os mais travessos, ele era bem mais firme. Não tolerava bobagens, mas, ao mesmo tempo, era divertido. Ele chamava as crianças de "companheiro" e se sentava no chão para brincar, e Lorcan, de fato, falava com ele.

Houve progressos impressionantes no semestre do verão, o último de Lorcan na creche antes de ir para a pré-escola. Ele sorria e falava com o senhor Mottershead diariamente e nós estávamos animados. Ele até fez verdadeiras amizades, e eu estava muito orgulhosa disso.

Havia uma garotinha que era o salva-vidas de Lorcan. Ella era filha de uma amiga minha, uma pessoa com quem eu costumava trabalhar, e era uma criança adorável, cheia de confiança e bem conversadora. Ela se afeiçoou muito a Lorcan e costumava arrastá-lo para brincar com ela e falava sem parar com ele, sem parecer se importar com o fato de não obter uma resposta verbal. Ella veio conosco para casa uma ou duas vezes e foi como uma salvadora para Lorcan. Ela era adorável.

Contudo, ao fim da creche, também havia um belo grupo de meninos com quem ele brincava regularmente, e que não parecia se perturbar com a peculiaridade de Lorcan. Logo ele encontrou um companheiro especial, George, que se tornou seu melhor amigo e o ajudou imensamente desde então. George instintivamente entendeu que Lorcan não conseguia falar em determinadas situações e começou a falar por ele. Foi um relacionamento que se estendeu durante a escola primária, e ainda existe até hoje.

Na época em que ele saiu da creche, Lorcan estava falando bem mais. Ele ainda não falava com muitas pessoas diretamente, mas brincava com elas e participava das atividades, e sua fala estava se tornando mais normal. Ainda que ele não necessariamente falasse diretamente com os colegas de classe, ele respondia se alguém da equipe lhe perguntasse diretamente alguma coisa, especialmente o senhor Mottershead. Ao fim do dia, ele dizia:

– Tchau, Lorcan.

E Lorcan gritava bem alto:

– Tchau.

Finalmente, estávamos chegando a algum lugar.

Estranhamente, eu começava, então, a me preocupar com o problema oposto. De repente pensei: "E se ele começar a ficar na escola como é em casa?". Isso porque ele consegue fazer bastante arruaça e bagunça. Então acabei imaginando que seríamos chamados na creche por motivos completamente diferentes. A creche até teve que pedir que ele ficasse quieto algumas vezes, porque ele estava sendo barulhento demais.

Enquanto o fim do semestre se aproximava, fui a um dia de atividades da creche. Para minha surpresa e completa alegria, Lorcan estava falando. Ele não estava falando apenas com as pessoas que conhecia, com quem falava diretamente: ele estava gritando diante dos outros pais, o que David e eu consideramos maravilhoso. Ele simplesmente falava numa voz bem alta, e como a maioria dos pais desconhecia o seu problema de mutismo seletivo, eles não consideravam aquilo nada demais.

Na opinião deles, ele não passava de um garoto normal falando alto demais, mas eu estava explodindo de orgulho. Fiquei muito feliz naquele dia, e cheia de otimismo. Cheguei mesmo a pensar: "Maravilha! Resolvemos o problema!". Foi um verdadeiro marco e um sinal de que ele estava começando a progredir, e os professores da creche também acreditaram nisso. Um relatório da creche, em junho, declarava:

> Nas duas últimas semanas, Lorcan começou a conversar com seus amigos e colegas durante as brincadeiras tanto dentro quanto fora da sala. Às vezes, isso se dá em frases fluentes e frequentes, especialmente quando ele não está ciente da presença de adultos.
> Lorcan teve um progresso fantástico em sua confiança na comunicação verbal este semestre, devido à sua recente superação, e hoje apresenta melhoras semanalmente. Ele atingiu e superou seus objetivos este semestre e esperamos que isso continue pelo resto do ano escolar e na pré-escola.

Então, ele foi promovido...

Capítulo 4

Dias escolares silenciosos

Durante as férias de verão, tudo foi muito diferente de como havia sido na escola. Lorcan foi o de sempre, um menininho conversador, em casa, pelo menos. E ele ainda tinha um tremendo senso de humor.

Um dia, em agosto, Dave estava no andar de baixo, cuidando de alguma coisa, quando ouviu gritos vindos do banheiro no andar de cima. Lorcan estava gritando:

– Pai, pai, me salve! – enquanto gritava, ele girava o rolo de papel higiênico de modo a fazer o papel desenrolar, flutuando até o chão. Que perigo!

Em casa, conosco, o mutismo seletivo de Lorcan raramente é evidente, mas também existem momentos em que ele se cala. Uma noite, quando ele tinha quatro anos de idade, acordei e o vi ao lado da minha cama. Isso não é nada extraordinário já que ele raramente dorme a noite inteira e muitas vezes vem me ver em suas andanças noturnas. O que foi diferente foi o fato de ele estar com o rosto carrancudo e não dizer nada. Perguntei se ele estava bem, e ele não respondeu. Deduzindo que havia algo errado, comecei a passar por uma lista de possibilidades:

– Está com calor? – perguntei. Nenhuma resposta.

– Está com sede? – nenhuma resposta.

– Frio? Assustado? Teve um pesadelo? – nada. Ele apenas continuou lá, com a cara fechada sem olhar para mim.

– Está com dor de cabeça? – perguntei por fim. Sua única reação foi um leve farfalhar dos cílios. Eu lhe dei um analgésico, que ele tomou razoavelmente de boa vontade, coloquei-o de volta na cama, e ele ficou bem. Na manhã seguinte, Lorcan voltou a ser o mesmo de sempre.

Tirando essa ocasião, ele nunca se mostrou completamente mudo conosco, mas percebi que ele tende a parar de falar quando não se sente bem.

Naquele verão, eu tinha algumas milhas de viagem acumuladas, por isso resolvemos sair de férias. Eu não tinha o suficiente para voar para muito longe, o que não foi um problema porque não somos de idolatrar o sol e gostamos de fazer muitas coisas quando estamos fora de casa, portanto, tinha que ser algum lugar que fosse bom para passear e repleto de atividades. Tanto Luke quanto Lorcan têm um verdadeiro interesse pela Segunda Guerra Mundial, por isso resolvemos ir para Guernsey, que fora ocupada pelos alemães durante a guerra, e eu apostei que isso os interessaria.

Ficamos hospedados num adorável hotel ao lado da praia e passamos cinco dias bem ocupados. Havia castelos para ver, praias nas quais brincar e museus para visitar, e em todos os lugares a que íamos havia muita informação a respeito da Segunda Guerra Mundial para entreter os meninos.

Um dia, estávamos no restaurante do hotel, tomando café da manhã, e era bem cedo, por isso estávamos sozinhos. Lorcan estava comendo um croissant, limpando a boca de modo solene com o guardanapo, quando declarou:

– Estou chique como um chiqueiro.

Todos rimos, então, inevitavelmente, ele continuou repetindo isso até a exaustão. Éramos os únicos no salão, por isso ele ficou muito contente em tagarelar, mas parou de falar quando a garçonete entrou.

Lorcan estava se sentindo em casa em Guernsey. Os meninos de fato adoraram brincar de duelar com espadas ao longo das muralhas dos castelos. Fomos visitar todas as torres de vigilância ao redor da ilha, onde usamos telescópios, o que foi incrível, e havia muitos museus onde Lorcan se interessou em ver a artilharia e outros objetos.

Um dia visitamos o hospital alemão subterrâneo, que levou três anos para ser construído e foi usado por apenas três meses para abrigar os soldados alemães feridos nas batalhas do dia-D. É a maior construção nas Ilhas do Canal e os imensos corredores de pedra se estendem por quilômetros. Eu achei meio horripilante e mal podia esperar para sair do subterrâneo, mas Lorcan amou. Havia armas imensas nos quais os meninos podiam mexer e telefones estranhos para brincar. Como de costume, Lorcan falou conosco quando não havia ninguém por perto, mas assim que outros turistas apareceram, ele se calou, e passou a sussurrar se precisasse nos dizer algo.

O tempo estava perfeito, ensolarado com uma brisa suave. Lorcan adorou brincar na praia e encontrar peixinhos e outras criaturas marinhas nas piscinas rochosas. Foram férias ótimas e voltamos com lindas lembranças de família.

Mais tarde, nessas mesmas férias, levamos as crianças para a Irlanda para visitar a família de David e para participar do casamento da irmã dele, Marie Louise. O casamento se realizou num lindo hotel perto do Castelo Ashford, nos limites dos condados Mayo e Galway, e os meninos se divertiram muito explorando o terreno do castelo. Durante a cerimônia, Lorcan e eu nos sentamos no fundo, distante do resto da família, pois eu imaginava que ele começaria a se inquietar e a atrapalhar, mas ele me surpreendeu ficando bem quietinho. Ele apenas deslizou pelo banco algumas vezes e depois se acomodou sorrindo – ainda que tenha emitido um arquejo bem alto quando o pai se levantou para fazer uma leitura!

O lado de David é uma grande família irlandesa, então, toda vez que estamos lá, há muitas pessoas por perto. Lorcan não falou com nenhum deles o tempo inteiro em que estivemos viajando, porém, mais uma vez, não é incomum que crianças pequenas se mostrem tímidas ou caladas em tais circunstâncias. Diferentemente da nossa última visita, agora sabíamos a respeito do mutismo seletivo e contáramos a eles assim que descobrimos. Com isso eles sabiam o que esperar e todos foram muito receptivos. As nossas duas famílias sempre nos apoiaram muito.

Expliquei à família de Dave que, caso quisessem lhe fazer uma pergunta, seria melhor formulá-la de modo que ele pudesse responder com um meneio ou um aceno de cabeça, e todos se saíram muito bem. Àquela altura, Luke também já se mostrava de grande ajuda, e muito protetor em relação ao irmão caçula. Muitas vezes ele se adiantava para responder por Lorcan, não deliberadamente, talvez, mas ele se acostumara tanto a falar pelo outro que isso se tornara uma reação natural.

Por exemplo, se a mãe de Dave perguntasse:

– O que quer com seu chá?

Luke poderia responder:

– Ele gosta de feijões na torrada.

Um dos tios perguntou a Lorcan se ele queria sair para ir jogar futebol. Lorcan olhou para Luke a fim de que ele respondesse em seu lugar, e depois saiu trotando para fora contente quando Luke disse que também iria. Ele sempre foi muito bom com Lorcan e aguenta um bom bocado. Ou Lorcan o está abraçando ou batendo nele sem cessar, mas seu irmãozão o vem protegendo desde que ele era bebê. Ele também é um excelente exemplo, porque Lorcan pode observá-lo e ver como ele se comporta, e Luke ensina e explica coisas com muita paciência para ele. Sem Luke, acredito que ele teria tido muito mais dificuldades, mesmo na escola.

Em setembro de 2009, depois de um maravilhoso respiro no verão, era hora de começar a pré-escola. No final das férias, Lorcan e eu fomos visitar a sala de aula da pré-escola e conhecer sua nova professora, a senhora Mellor. Ela nos mostrou a sala e nós a filmamos, para que Lorcan pudesse vê-la novamente em casa, pois pensamos que isso o ajudaria a se familiarizar. A senhora Mellor perguntou a Lorcan sobre o que ele se interessava, mas, claro, ele não respondeu. Contei a ela sobre a adoração dele por soldados e história, e ela, atenciosamente, colocou uns soldadinhos de brinquedo numa parte para que Lorcan brincasse, o que ele adorou.

A creche fica dentro da escola; então, no fim das contas, tudo o que os pequeninos têm que fazer ao passar para a pré-escola é mudar para uma sala de aula diferente. É por isso que meus dois meninos foram para essa escola, porque eu acreditei que seria menos perturbador para eles continuar no mesmo prédio quando fossem para a escola, uma vez que estivessem acostumados com a creche.

Lorcan conhecia todos os funcionários, e as crianças da creche às vezes se reuniam ali, portanto, era a situação perfeita.

As crianças mais velhas da creche eram promovidas e as mais novas continuavam. Houve algumas crianças novas ingressando na escola que antes não frequentavam a creche, portanto a dinâmica do grupo mudou um pouco, mas ele estava familiarizado tanto com a professora da pré-escola quanto com a assistente, com isso nós tínhamos esperanças de que a mudança tivesse um impacto mínimo.

Mesmo assim, a terapeuta da fala nos avisara de que ele regrediria, apenas por conta da mudança de situação, por isso nós antecipávamos um pequeno recuo. Em outubro de 2008, recebi uma carta mencionando a possibilidade de um retrocesso no ano seguinte, quando ele iniciasse a escola, mas, estranhamente, ela também dizia que Lorcan seria dispensado do tratamento. Depois de arranjarem um esboço de programa e não o completarem, pensaram que não seria necessário fazer mais nada, a poucos meses de ele, de fato, começar a escola primária.

Fiquei parada no corredor, de boca aberta, enquanto lia:

> Lorcan tem feito imensos progressos em sua disposição para falar com outras pessoas e tem trabalhado bem com a professora assistente no programa "Quebrando as Barreiras". Debatemos a possibilidade de que Lorcan possa sofrer um ligeiro retrocesso em setembro, mas a mãe e os funcionários da escola estão bem equipados para lidar com a questão, caso ela surja. Portando, estou dispensando Lorcan.

Aquela foi a primeira de uma longa fila de pessoas lavando as mãos ante o problema, esperando que ele sumisse. No verão, antes que Lorcan fosse para a escola, ele, mais uma vez, foi avaliado por uma terapeuta de linguagem e fala, pois eu brigara para ele voltar a ser atendido, e ela julgou que a fala dele melhorara e o liberou novamente. Até o fim da pré-escola, nós fomos atendidos e dispensados duas vezes. Eles fizeram algumas avaliações não verbais e resolveram que não viam nenhum sinal de autismo, por isso nos deram alta.

No primeiro dia de Lorcan na escola, recebemos a instrução de nos reportarmos a uma determinada hora. Isso para que todas as crianças não chegassem ao mesmo tempo. Os funcionários poderiam, então, acomodar cada criança individualmente. Nós o arrumamos em seu novo uniforme – colete azul marinho, camisa branca e gravata, e calças compridas cinzas. Ele estava muito orgulhoso, por isso tiramos uma foto antes de sairmos. Lorcan estava muito bonito enquanto caminhávamos juntos para a escola.

Chegamos no horário determinado, às 10 horas, e ele não fez nenhum escândalo. Ele estava verdadeiramente contente e animado, e acompanhou a senhora Mellor com alegria, depois de um sorriso e um aceno para mim.

Alguns dias depois que Lorcan começou, a senhora Mellor me chamou para me contar que o encontrara verdadeiramente triste enquanto brincava com os soldadinhos na sala. Ele não fora capaz de lhe dizer o que havia de errado, mas permitiu que ela o confortasse. Quando chegamos em casa, toquei no assunto com cautela e ele conseguiu me contar que estava triste porque não tinha ninguém com quem brincar. Esse sentimento é terrível e me preocupou de verdade, mas isso acontece com muitas crianças quando elas passam de ano, e logo ele teve muitos amigos.

No entanto, o impacto de começar a escola foi pior do que antecipamos. Lorcan parou de falar novamente. Nas primeiras semanas, nós nos convencemos de que estava tudo bem, que ele melhoraria depois de se adaptar. Depois pensamos: "Ainda não é nem Natal. Vamos lhe dar uma chance". Àquela altura ele só falava com George, e George falava por ele. Não era, como você talvez esteja imaginando, que Lorcan lhe sussurrasse ao ouvido – ele nem sequer faria *isso* se houvesse outra pessoa –, mas, se alguém aparecesse e fizesse uma pergunta, George falava em seu lugar. Lorcan tem tido muita sorte porque há um grupo ótimo de meninos em sua sala e, sem eles, ele teria tido muitas dificuldades.

Para os professores, o seu mutismo não era um grande problema. Lorcan era bem comportado e fazia as tarefas com empenho. Ele meneava ou assentia com a cabeça se lhe faziam uma pergunta, então eles tinham um mínimo de comunicação. Estranhamente, ele até levantava a mão para responder às perguntas, e se a professora o escolhesse, ele não conseguia dar a resposta. Acredito que ele só queria que soubessem que ele sabia, ainda que não conseguisse dar a resposta.

Nem sempre, porém, o mutismo o impediu de se comportar mal. Durante o primeiro festival da colheita de que ele participou, todas as crianças cantaram canções infantis como "Big Red Combine Harvester" e se comportaram como anjos, e eu vi, horrorizada, quando Lorcan, que estava na primeira fileira, bem diante na nova diretora, sacudiu o punho de modo ameaçador para o seu irmão com uma expressão endiabrada no rosto. Ele ainda mostrou a língua para a plateia, pessoas que ele nem conhecia, e fez caretas.

Na pré-escola, os professores tentaram colocar em prática o programa "Quebrando as Barreiras", irregularmente. Mas eles não haviam sido treinados, tendo apenas recebido pilhas de papel. Eu li esses papéis e tudo pareceu tão intimidante que, para ser sincera, cheguei a pensar: "Ainda bem que *eu* não tenho que fazer isso". Diante daquilo, tudo parecia apenas jogos básicos que você brinca com crianças, como *Adivinha Quem?* e outros assim; mas trata-se de muito mais do que isso, porque você tem que forçá-las a um certo limite e depois tem que recuar se elas não conseguirem. É tudo muito complicado e requer muita dedicação.

Eu tinha reuniões regulares com a escola porque Lorcan tem um PEI e, seguindo os conselhos da coordenadora de necessidades educacionais especiais da escola, a senhora Bell, ele fora colocado no "Ação Escolar Adicional", um programa para crianças que precisam de auxílio individual na escola. A senhora Bell conhecia muito bem a família, pois também lecionou para Adam há diversos anos, e era sua função coordenar intervenções, aconselhar os professores e contatar o terapeuta de linguagem e fala. Então, em vez dos encontros noturnos de pais, ocasião em que eu teria uma reunião de dez minutos, foram propostas reuniões mais demoradas após o horário escolar. Eles passavam pelo PEI e estabeleciam os objetivos para Lorcan. Por exemplo, em vez de ignorar a professora quando ela fazia a chamada, eles conseguiram que ele levantasse o polegar num sinal de positivo. Outro objetivo seria incluí-lo num grupo, participando de uma atividade. Sua professora da pré-escola, a senhora Mellor, foi maravilhosa e se empenhou muito, mas a escola não estava obtendo o apoio dos "peritos".

Em dezembro de 2009, depois que a terapeuta da fala o dispensou mais uma vez, meu marido Dave entrou em contato com o doutor Anthony John, o pediatra recomendado que lida com autismo em nossa região. Dave lhe contou a situação e perguntou:

– Pode atendê-lo?

Como uma cortesia profissional, por meu marido ser clínico geral, e porque tínhamos o histórico de autismo na família, conseguimos uma consulta bem rápido. O doutor John foi maravilhoso e prestou atenção ao que contamos. Porém, depois que preenchemos todos os formulários, ele disse:

– Não creio que Lorcan seja autista, mas não podemos descartar a possibilidade de Síndrome de Asperger por enquanto, porque ele ainda é muito novo.

Embora não houvesse um diagnóstico na época, fiquei satisfeita que ao menos um profissional da saúde tivesse validado meus medos e observações, e me levado a sério. Ele também solicitou que a fonoaudióloga o consultasse novamente.

Em fevereiro, após a solicitação do doutor John, a terapeuta de fala e linguagem foi ver Lorcan na escola e eu também fui a esse encontro. Quando cheguei na escola, a turma estava na sala fazendo a Hora do Círculo, na qual todos se sentam num grande círculo e passam um objeto adiante, dizendo algo sobre ele quando o recebem. Tanto a terapeuta quanto eu ficamos subitamente alarmadas, imaginando o que Lorcan faria. Felizmente, a senhora Mellor sabia exatamente o que estava fazendo, pois muitas outras crianças simplesmente passaram o brinquedo adiante sem dizer nada, portanto Lorcan não estava sozinho nisso. Quando terminaram, a senhora Mellor o mandou para mim e, no seu melhor estilo teatral, Lorcan escolheu engatinhar pela sala em vez de andar.

A terapeuta me entregara algumas perguntas, então eu e Lorcan nos acomodamos no refeitório da escola, onde repassei toda a avaliação com ele, enquanto ela se escondia atrás da prancheta! O mais engraçado foi que Lorcan sabia que ela estava lá o tempo inteiro, e também havia a professora auxiliar com outro aluno numa outra mesa, portanto, a situação não era a ideal. Ele respondeu a todas as perguntas e conseguiu uma boa pontuação, mas sussurrou todas as respostas para mim, e seus olhos continuaram a se desviar para onde a terapeuta estava se escondendo, como se pensasse: "O que essa mulher está fazendo atrás da prancheta?". Foi tudo um tanto estranho.

Ele pontuou bem acima da média nos testes, portanto foi avaliado como não tendo nenhum indício de autismo na época. Eu discordei.

Por causa de Adam, eu estava convencida de que aquilo era muito mais do que apenas medo de falar. Eu identificava alguns indícios que vira em Adam. Por exemplo, Lorcan era muito distante das pessoas e não gostava de receber carinhos; ele comia de maneira ordenada e detestava sujeira no rosto; não sentia empatia pelas pessoas se elas se machucassem; e considerava coisas estranhas engraçadas, assim como Adam. Eu estava absolutamente convencida de que tinha outro filho no espectro do autismo.

Por termos tido um diagnóstico tão tardio de Asperger com Adam, o que teve um efeito prejudicial na escola, eu não queria que o mesmo acontecesse novamente.Quaisquer que fossem os problemas de Lorcan, eu estava determinada a tomar ciência o quanto antes possível, visto que uma intervenção precoce é fundamental para ajudar a criança a lidar com o autismo e a progredir.

Um dia, quando ele estava na pré-escola, notei que havia um programa sobre mutismo seletivo na TV, por isso eu o gravei e assisti quando Lorcan estava na cama. Ele foi muito bem pesquisado, além de ser bem informativo e de fácil compreensão, então tomei a decisão de mostrar parte do programa para Lorcan.

Eu já explicara que muitas crianças tinham dificuldades para falar na escola, que não era apenas ele, mas eu suspeitava que Lorcan, na verdade, não acreditasse em mim, já que via todos os colegas de classe falando e devia ter se perguntado por que ele era o único que não conseguia. Para uma criança de cinco anos, aquele ambiente imediato era um mundo inteiro, por isso é difícil para ela compreender a ideia abstrata de crianças a quem ela não conhece passando pela mesma coisa que ela, a menos que o veja por si só.

Uma tarde nos acomodamos na sala de estar e eu lhe mostrei o programa, que exibia três garotas, todas mais velhas do que ele, que também sofriam de mutismo seletivo. Enquanto ele assistia, eu observava as suas reações. Uma menina de dez anos era a cópia carbono dele – falava livre e facilmente em casa, e ficava absolutamente calada na escola. A expressão em seu rosto quando ele finalmente percebeu que existiam outras crianças que não conseguiam falar na escola foi incrível. Só pode ser descrita como sendo de puro alívio. Fiquei muito contente por ter decidido deixá-lo assistir.

Ele viu o resto do programa com interesse, assistindo atentamente quando eles mostravam como as crianças, de quinze, dez e oito anos, não conseguiam falar em determinadas situações e como elas progrediram ao longo do programa. Ele falou bem pouco, apenas comentou a respeito da menina de oito anos, que não conseguia falar nem com o avô.

– Eu não sou assim – disse ele. – Eu consigo falar com a minha vovó, não consigo?

Lá pelo fim da pré-escola, Lorcan começara a falar o bastante para que a senhora Mellor fizesse algumas avaliações. Como resultado, ela lhe deu um prêmio especial por "deixar a senhora Mellor orgulhosa" e ele teve que ir ao auditório para recebê-lo da professora, junto a outros alunos que ganharam premiações pelas suas conquistas. Foi um modo adorável de premiar o progresso individual, em vez de apenas reconhecer as notas acadêmicas, e fiquei muito feliz por ele.

Entretanto, de maneira bem típica, Lorcan nem se importou em me contar a respeito. Por acaso eu vasculhava sua mochila atrás do seu livro de leitura e lá estava o certificado. Ele se esquecera totalmente! Obviamente, fiz uma algazarra e o elogiei, comentando o quanto aquilo era fantástico. Ele posou para uma foto e colou o certificado no quarto com um adesivo. A maioria das crianças ficaria desesperada em contar para as mães que receberam um prêmio da professora, mas não Lorcan.

Pouco depois, ele recebeu o distintivo Woodhouse Wonder, que é entregue pela conquista do prêmio de bom comportamento, e a criança pode usá-lo por uma semana. Dessa vez ele me contou assim que o recebeu. Imagino que um distintivo brilhante cause uma impressão bem melhor num garotinho do que um certificado sem graça.

Comemoramos o quinto aniversário de Lorcan num parque infantil novo, o Land of Play, poucos dias depois que ele começou a escola de verdade. Ele escolheu quem queria convidar e, veja que curioso, concordou em chamar algumas meninas, inclusive Ella. O pequeno grupo se divertiu a valer, correndo de um lado para o outro, subindo e escorregando sobre colchonetes macios. Lorcan participou de tudo com alegria e, de fato, parecia estar se divertindo. Acomodou-se enquanto comiam e pareceu verdadeiramente feliz, como Punch, quando o bolo do *Star Wars* foi trazido. Todos cantaram "Parabéns pra você" e ele assoprou as velinhas.

Uma moça do local organizava a festa e eu lhe explicara sobre seu problema de mutismo seletivo, portanto ela sabia o que esperar. Lorcan assentia quando ela lhe perguntava se ele queria suco, mas, como esperado, ele não falou com ela.

Depois de terem comido, todas as crianças foram para os carrinhos elétricos, mas, pela primeira vez naquele dia, Lorcan não os acompanhou. Ele não sabia explicar por que não queria ir e até mesmo se recusou a andar em um com Luke ou com o pai. Desde então, ele nunca foi em um brinquedo desses, tampouco conseguiu nos dizer o motivo.

Em fevereiro, a senhora Mellor e a professora auxiliar, a senhora Winterbottom, organizaram um baile de Dia dos Namorados. Os pais foram convidados e fomos recebidos por um lindo cenário. Balões enfeitavam os corredores e as mesas estavam bem servidas, com pratos de biscoitos lindamente decorados. Enquanto nos sentamos e observamos, as crianças da pré-escola apareceram em pares e foram apresentados pela senhora Mellor. Os meninos acompanharam as meninas aos seus lugares, depois se sentaram do lado oposto. A professora chamou os meninos pelos nomes e pediu que eles acompanhassem seus pares para a pista de dança e, um a um, eles se levantaram, encontraram as meninas com quem dançariam e as conduziram para o meio do salão. Foi tudo muito bonito.

No começo, Lorcan pareceu bem tímido, mas quando seu nome foi chamado, ele prontamente encontrou seu par, Evie, e se posicionou – acenando alegremente para mim enquanto esperava a música começar. Em seguida, as notas de "Top of the World", dos Carpenters, tocaram, e todos começaram a dançar pelo salão. Os jurados de *Dançando com as Estrelas* teriam se divertido muitíssimo com alguns daqueles pequenos casais. Alguns simplesmente se apressavam sem, na verdade, estarem dançando, e uma ou outra menina simplesmente era arrastada pelo parceiro numa velocidade impressionante. Muitos dos casais giraram em direção à mesa disposta, onde a comida de aparência apetitosa desviava a atenção dos seus passos elaborados.

Lorcan e Evie se mostraram bem controlados – embora tenham conseguido dar a volta por trás das cadeiras.

Ao fim da primeira dança, as garotas fizeram uma mesura e os meninos se inclinaram. Lorcan sorria feliz. Foi ótimo ver! Então os meninos acompanharam as meninas de volta às suas cadeiras e a senhora Mellor fez um lembrete gentil aos meninos de que as meninas não necessariamente gostam de ser arrastadas pela pista de dança. A canção seguinte foi "Never on Sunday" e o par de Lorcan bateu seus saltinhos durante toda a música. Na canção seguinte, Lorcan veio na minha direção, arrastando a pobre menina atrás de si.

Então veio a última canção, e os meninos foram buscar seus pares mais uma vez. Àquela altura, a irmãzinha de Evie resolveu se juntar ao par, e Lorcan fechou a cara enquanto a senhora Mellor passava de música em música até encontrar a certa. Ela escolheu "Three Times a Lady", dos Commodores, e assim que eles recomeçaram, o sapato do par dele caiu, o que me fez rir. Lorcan veio se sentar comigo por um instante enquanto ela se ajeitava; ele estava se divertindo muito. Sorriu e bateu palmas ao fim da canção e, em seguida, as crianças tomaram leite, comeram bolo e biscoitos e nós tomamos chá com bolo.

A tarde foi uma experiência maravilhosa para os pais, e foi uma alegria ver as crianças se divertindo no baile. Também recebemos uma linda foto de Lorcan com Evie, que sempre me trará lembranças alegres. A expressão radiante de Lorcan naquele dia ainda me faz sorrir.

Lorcan nunca desgostou da escola. Sempre gostou de ir, nunca chorou pela manhã e parecia adorar estar lá. A senhora Mellor era maravilhosa com as crianças, por isso, se houvesse algo errado, acreditei que ele conseguiria procurá-la para falar a respeito, mas, na primavera, ele ainda não estava falando adequadamente. De vez em quando ele dizia alguma palavra, e a senhora Mellor o ouvia falar no jardim da escola, se ele acreditasse que não havia adultos escutando. Ele estava fazendo mais amigos, o que foi um alívio, e George continuava firme ao seu lado, ajudando sempre que podia.

Foi quase no fim do ano letivo, nas últimas semanas do último semestre, que ele recomeçou a falar – na mesma época que no ano anterior.

No fim da pré-escola, passei pela porta da sala de aula dele e a professora estava fazendo uma avaliação de leitura – e ele estava, de fato, pronunciando as palavras.

Ele levava praticamente um período letivo inteiro para se sentir à vontade – e depois voltávamos à estaca zero quando ele passava de ano. Mesmo passar da pré-escola para o Primeiro Ano – com exatamente as mesmas crianças na turma e, mais uma vez, simplesmente se mudando para a sala ao lado – o fez regredir novamente.

Ironicamente, há ocasiões em que desejamos que Lorcan permaneça calado. Ele nunca compreendeu as sutilezas sociais no que se refere a comentar a aparência de alguém e, apesar do seu mutismo seletivo, suas observações podem ser incrivelmente altas quando ele fala comigo em público.

"Ha, ha! Olha aquele homem!" é um tipo de observação bem comum. Ele costuma se safar por ser muito bonitinho, mas isso sempre me fez querer que um buraco se abrisse no chão para me engolir. Quando ele tinha dois anos de idade, estávamos no jardim da frente arrancando ervas daninhas quando um casal passou e sorriu para Lorcan. Quando eles se afastaram, ele exclamou bem alto:

– Olá, mendigos!

Hilário, mas completamente vergonhoso. Felizmente, ou eles foram educados demais para responder, ou não ouviram exatamente o que ele disse.

Aos cinco anos, enquanto fazíamos compras em Manchester, ele gritou:

– Olha, lá está um duende!

Mais uma vez tivemos sorte que o homem em questão não o ouviu.

Em outra ocasião, fomos a Londres passar o fim de semana, e ficamos hospedados num hotel. Estávamos esperando o elevador no nosso andar para sairmos e, quando ele por fim chegou e as portas se abriram, ele comentou bem alto:

– Não posso entrar aí por causa dessas pessoas gordas!

Foi muito embaraçoso, mas, pelo menos, ele estava levando a restrição de peso máximo a sério.

Mesmo na escola, havia momentos em que ele surpreendia a todos. Aos cinco anos, durante um recreio, ele casualmente usou a palavra que começa com F diante de outras crianças. Um bando de alunos animados da pré-escola saiu correndo para contar para a professora – não por ele ter dito uma palavra feia. Elas simplesmente não conseguiam esperar para lhe contar que Lorcan falara!

Em casa, sua tagarelice constante era uma fonte frequente de diversão para nós. Em certa ocasião, ele me pediu um biscoito e disse em seguida:

– Dona mãe, dona mãe, por favor, posso pegar um biscoito?

E quando um dia ralhei com ele por algum motivo, ele perguntou a Dave:

– Papai, por que a mamãe é rígida *e* boa? Alguém me diga, por favor! Por que a mamãe é boa *e* ruim?

Lorcan é incrivelmente rápido quando está aprontando alguma e, quando vamos às compras, temos que ficar atentos como gaviões em cima dele, pois ele está sempre sumindo atrás dos balcões das lojas e mexendo na caixa registradora ou pegando "coisas interessantes".

No fim do ano letivo, estávamos planejando mais uma viagem à Disneylândia de Paris, mas antes tínhamos que providenciar um passaporte novo para Lorcan. Dave o levou a uma loja no shopping onde tiravam fotos para passaporte. A loja estava cheia por ser sábado.

Lorcan se portou muito bem enquanto tiravam a foto. Depois eles tiveram que esperar alguns minutos pelas fotos e, como de hábito, ele não conseguiu esperar parado. Começou a andar "olhando" as coisas da loja, inclusive a máquina fotográfica que fora colocada de volta no balcão. Ele é muito rápido e consegue apanhar coisas sem ser notado. Na verdade, sempre brincamos dizendo que ele é Artful Dodger e Luke é Oliver.[3]

Depois de alguns minutos de exploração, ele voltou para junto do pai e lhe entregou um objeto, com orgulho: "Aqui está!". Dave olhou para a palma da mão onde estava uma peça do mecanismo da máquina fotográfica! Obviamente, Lorcan esteve remexendo nela e a peça se soltara. Só ficamos aliviados que ele não a tivesse colocado no bolso e trazido para casa. Felizmente, suas fotos ficaram prontas naquela hora, então Dave, disfarçadamente, colocou a peça da máquina no balcão e eles saíram de fininho.

Mesmo em casa, havia pequenos tesouros que Lorcan guardava para si. Luke, aos sete anos, estava trocando a dentição e Lorcan ficou fascinado com isso e, possivelmente, um pouco enciumado – ainda mais depois que a fada do dente começou a deixar dinheiro. Uma noite, entrei sorrateira no quarto de Luke para trocar o dente por dinheiro e, com cuidado, coloquei a mão debaixo do travesseiro, descobrindo que ele não estava lá. Conhecendo Lorcan como eu conhecia, fui procurar debaixo do travesseiro dele, e lá estava o dente. Desnecessário dizer que a fada não ficou nada impressionada e que Lorcan ficou sem receber.

Lorcan é um grande fã do programa *60 Encontros Mortais*, em que o incrivelmente valente e forte apresentador Steve Backshall lida com as criaturas mais letais do mundo. Ele fica assistindo por horas, fascinado com os animais perigosos.

Quando ficamos sabendo que o programa ao vivo passaria por Liverpool, em 2010, decidimos ir até lá, e os dois meninos ficaram animadíssimos. Nesse dia, a chuva caía sem trégua e os

3 Artful Dodger é o batedor de carteiras, amigo de Oliver Twist, no romance escrito por Charles Dickens. (N.T.)

dois esperaram pacientemente, ficando ensopados e com frio. Mas conseguiram o que queriam. Por fim, Steve apareceu e eles puderam conhecê-lo e tiraram uma foto com ele. Steve conversou com os dois e Luke respondeu, mas, claro, Lorcan não disse nada.

Algum tempo depois, enquanto brincava no jardim, Lorcan encontrou alguns tatuzinhos e, com a ajuda de Luke, escreveu uma carta para Steve perguntando se ele poderia incluí-los na lista dos animais dos *60 Encontros Mortais*!

Steve foi gentil em mandar um autógrafo em resposta, o qual Lorcan ainda guarda, mas imagino que os tatuzinhos não foram aprovados.

Outro encontro com famosos aconteceu quando Lorcan conheceu a celebridade televisiva Matthew Kelly numa manifestação em apoio ao Hospital Geral de Trafford, onde Lorcan nasceu. Matthew nasceu em nosso distrito de Urmston e regressou para dar seu apoio à campanha para salvar o departamento de emergência. Ele foi muito amável e passou um tempão conversando com as pessoas da região, e nós temos algumas fotos engraçadas de Matthew com Lorcan. Numa delas, Lorcan está segurando uma placa na qual estava escrito "Salvem o local de nascimento do NHS"[4], e ele está sorrindo de orelha a orelha porque Matthew está usando sua cabeça como poste, apoiando os cotovelos nela. E, mais uma vez, ele não disse nada.

No começo do Primeiro Ano, Lorcan regrediu novamente, apesar de os colegas de classe serem os mesmos. Daquela vez, foi um pouco diferente porque ele teve um professor, em vez de uma professora, o senhor Southern, que foi brilhante. Ele se esforçou para conhecer Lorcan e descobrir como ele era. Dava-lhe atenção especial e isso pareceu ajudar.

4 National Health Service, sistema de saúde pública do Reino Unido. (N.T.)

O progresso foi lento no início, mas na primeira reunião de pais o senhor Southern nos disse que ele estava respondendo às perguntas de matemática. Ele levantava a mão e dizia a resposta ao senhor Southern, diante de toda a classe, mas só se fosse de matemática.

Um dos traços que notamos em Lorcan, que é consistente com a Síndrome de Asperger, é que ele interpreta tudo literalmente, portanto as instruções devem ser claras, e as metáforas e frases não literais simplesmente o confundem.

Um dia o senhor Southern lhe disse:

– Você consegue afastar as cadeiras?

Lorcan olhou para ele perturbado e saiu andando. Em seu entendimento, o professor estava perguntando se ele era capaz de tirar as cadeiras em vez de pedir que o fizesse. Lorcan, obviamente, pensou: "Sim, claro que consigo, seu bobo!". Dali por diante, o senhor Southern sempre deu instruções claras e diretas a Lorcan.

Ler com Lorcan pode ser uma experiência e tanto. Uma frase como "ela chorou as pitangas" é extremamente engraçada porque ele imagina exatamente isso. Num livro que líamos, alguém estava jogando futebol e perdeu o jogo, então o texto dizia: "Eles pisaram na bola". Ele não entendia que aquilo significava que eles não tinham vencido. Ele os imaginava pisando na bola e ria porque achava engraçado. Mas pode ser que um dia não seja mais engraçado ou que ele fique aborrecido porque sabe que não entende adequadamente o que está sendo dito.

Lorcan adora os livros de aventura da série *Os Cinco* e às vezes acha a linguagem verdadeiramente engraçada. Uma noite ele leu: "Logo o fogo se espalhou e o quartinho arruinado foi iluminado por chamas dançantes". Ele achou isso muito engraçado, então começou a rir e a dançar.

Quando Anne – ou Annie, que é como ele a chama – comenta sobre o barulho do mar, dizendo: "parece estar gritando com toda a força de sua voz", Lorcan imediatamente diz:

– Apesar de ele não ter voz.

Por isso, acho que ele está começando a compreender as símiles.

Incrível o quanto usamos metáforas, símiles ou gírias em conversas corriqueiras, e você nem chega a perceber isso até ter um filho que interpreta tudo exatamente como ouve.Você pode dizer:

– Esta bolsa está tão pesada que parece que o meu braço vai cair.

Se Lorcan ouvisse isso, poderia ficar bem alarmado.

Como qualquer outra mãe, se estou ocupada e as crianças querem alguma coisa, eu digo: "Um minutinho". Lorcan entende isso como uma dica para começar a contar até sessenta, depois fica bravo se eu demoro um segundo a mais que seja.

Recentemente, Luke contava a seu irmão algo que acontecera no ônibus escolar que ele achou muito engraçado. Ele disse:

– Quase morri de tanto rir!

– Não seja idiota – Lorcan replicou zangado. – Você nem chegou perto de morrer.

Lorcan também é bem literal ao falar, dizendo exatamente o que pensa, chegando ao ponto de ser rude. Quando ele tinha seis anos, uma amiga minha, Alison veio me visitar e estávamos conversando na porta de entrada. Enquanto conversávamos, eu conseguia ouvir Lorcan gritando "mamãe" sem parar, como fazem as crianças quando não são atendidas. "Mãe, preciso de você", ele insistia. Mas eu sabia que não era nenhuma emergência, por isso continuei conversando. Por fim, ele apareceu no corredor, se aproximou da porta e, sem nunca ter dito nenhuma palavra para Alison antes, exigiu:

–Você pode ir para a sua casa, por favor?

Em junho, com Lorcan fazendo excelentes progressos na escola, tivemos outra consulta com o doutor John. Dessa vez, ele nos disse que queria um exame de sangue para excluir algumas anormalidades cromossômicas, então marcamos uma hora para fazer isso.

A enfermeira veio em casa para tirar sangue e, enquanto estávamos ali, Lorcan encontrou uma formiga e brincou com ela até a moça passar um pouco de "creme mágico" no braço dele para anestesiar o local da picada da agulha.

Enquanto a agulha em borboleta ia na direção dele, eu prendi a respiração, antecipando um grito a qualquer instante. Aquilo poderia provocar um de seus escândalos, pensei apreensiva. Para minha surpresa, ele continuou sentado, sorrindo amplamente para a enfermeira, enquanto ela enfiava a agulha no braço dele e tirava o sangue. Havia um tubinho transparente ligado, então era possível ver o sangue preenchê-lo, mas ele sequer piscou. As enfermeiras ficaram muito impressionadas. Obviamente estavam acostumadas a crianças chorando e se agarrando às mães, então ele deve ter sido o paciente mais fácil que já tiveram!

O resultado do exame de sangue veio normal, portanto, aquela era uma coisa com a qual não tínhamos com que nos preocupar. Entretanto, por mais estranho que pareça, o sorriso de Lorcan é algo que me preocupa com frequência. Ele sorri bastante e as pessoas não percebem que esse é um modo de ele atravessar experiências aflitivas, como fazer um exame de sangue, ou passar em uma consulta com o dentista. Aqueles que não o conhecem como nós normalmente são enganados pela sua expressão radiante, considerando-a como um sinal de que ele não está ansioso, quando, de fato, ele está muito. Mutismo seletivo é um transtorno de ansiedade documentado e eu não sei se ele usa seu sorriso para desarmar as pessoas e atrair a simpatia delas, ou como um mecanismo para aliviar a sua ansiedade. De todo modo, isso é preocupante.

Depois de um ano com o senhor Southern, Lorcan mais uma vez melhorava, e nós começamos a pensar que ele poderia enfrentar a transição para o Segundo Ano sem um retrocesso tão grande. Em julho, porém, pouco antes das férias de verão, fiquei sabendo que a professora que vinha ensinando no Segundo Ano há vários anos fora transferida para o Quinto Ano. Fiquei totalmente arrasada. A senhora Stevens era um dos motivos pelos quais escolhi aquela escola para os meninos. Ela é uma professora incrível, e eu tinha esperanças de que ela fizesse sua magia com Lorcan.

A notícia me deixou muito triste e, subitamente, meus temores de que Lorcan nunca conseguisse conversar na escola como as outras crianças, e a preocupação de que ele ficasse para trás, começaram a me oprimir. Obviamente, eu tinha que agir. Escrevi uma carta bem enfática para a nova coordenadora, expressando meu descontentamento. Assim que a carta foi recebida, ela me telefonou e tivemos uma conversa longa e promissora, que terminou com Lorcan sendo alocado em três sessões semanais com a professora do Segundo Ano para se concentrar no programa "Quebrando as Barreiras".

Ainda que eu seja uma pessoa prática, que gosta de lidar de frente com os problemas, houve ocasiões em que fiquei emotiva ante o mutismo seletivo de Lorcan. Pode ser angustiante quando você leva seu filho a algum lugar e ele não consegue falar porque, como já disse, isso é um transtorno de ansiedade. Como mãe, é inquietante saber que ele está se sentindo ansioso ou angustiado, mas tenho uma tendência a enxergar as coisas sob um ponto de vista pragmático. No fim das contas, não sou eu quem importa: mas sim Lorcan.

Capítulo 5

Encantado pela gatinha

Em setembro de 2010, a nossa velha gata vira-lata, Flo, começou a ficar bem doente por falência renal. Ela começou a miar para mim e a me procurar mais do que o normal, lamentando-se com maior frequência. Em certa ocasião, limpei a caixa de areia dela e me esqueci de levá-la de volta para dentro de casa. A gata, inteligente, urinou numa bacia plástica que eu havia deixado no chão, o que se mostrou muito útil, pois o veterinário precisava de uma amostra de urina e isso a poupou de passar pelo trauma de tentar obter uma. Não seria uma tarefa fácil, como você pode imaginar.

O veterinário disse que seus rins estavam falhando, por isso sugeriu que o mais humano seria sacrificá-la. Ela já tinha catorze anos e vinha piorando há algum tempo, então sabíamos que esse dia chegaria, mas Dave e eu estávamos muito tristes quando ela se foi, pois ela fora parte da família por muito tempo. Não consegui ficar na sala enquanto a sedavam, mas Adam e minha mãe ficaram. Adam, que tivera Flo desde pequeno, obviamente ficou arrasado, visto que ela era, de fato, a sua gata. Quando ela foi cremada, ele quis ficar com as cinzas, por isso nós as colocamos num lindo contêiner com um laço ao redor, e ele as deixou em seu quarto.

Algum tempo depois, numa das excursões de Lorcan ao quarto de Adam, ele se deparou com as cinzas e ficou curioso. Tentou abrir o contêiner para ver "os ossos e o sangue de Flo", e, dali por diante, nós tivemos que escondê-las.

Por causa das travessuras dos dois menores que sempre a fizeram se refugiar no andar de cima em busca de paz e tranquilidade, eles nunca tiveram um relacionamento de fato com Flo, assim como tiveram com a cadela. Sabíamos que eles não ficariam tão devastados, por isso nos aproveitamos da oportunidade para explicar sobre a morte, muito casualmente, e eles se mostraram bem interessados. Lorcan não se incomodou nem um pouco, só queria dar uma espiada nela.

Assim que ela partiu, eu quis ter outro gato, mas tinha que ser do tipo certo. Tivemos gatos que fugiram antes de Flo, e por isso eu a mantive dentro de casa por um bom tempo quando era pequena. Afinal, ela foi uma gata nascida no inverno. Quando Flo foi castrada, não se interessou muito pelo imenso mundo exterior. Ela saía, mas nunca ia além do jardim, o que era ótimo, e provavelmente o motivo de ela ter durado catorze anos.

Resolvemos encontrar um substituto imediatamente. Por mais que eu ame Lily, sempre fui mais "gateira", com isso nunca houve dúvidas de que eu arranjaria outro. Pensei: "Certo, não quero um gato que saia e fique perambulando. Se eu pegar um com pedigree, não vou nem me sentir tentada a deixá-lo sair".

Se você não toma cuidado com gatinhos filhotes, alguém acaba deixando a porta aberta e eles fogem, e eu não queria que nada de ruim acontecesse.

Não sendo de postergar, comecei a procurar no dia em que Flo morreu. Eu não sabia muito bem que raça pegar, por isso, assim como fiz com Lily, continuei pesquisando gatos diferentes na Internet e preenchi os questionários on-line que o ajudam a decidir que gato você quer. Perguntaram se eu estava disposta a escová-lo, se ele precisava se dar bem com crianças, esse tipo de coisa, e eles sugeriam algumas raças.

As duas que sempre apareciam era a Birmanesa e a Maine Coon – mas esta parece precisar de muitas escovações, portanto não me agradou muito. Com isso, restava a raça Birmanesa. Li um pouco mais para saber se tinham propensão a doenças hereditárias, visto que alguns gatos de raça têm problemas cardíacos ou outros problemas médicos. Os Birmaneses receberam um atestado de saúde imaculado.

O passo seguinte foi encontrar um criador. Encontrei dois que ficavam razoavelmente próximos de casa e entrei em contato com eles no meu primeiro dia de busca. Um deles, uma senhora chamada Janet Brown, respondeu-me prontamente, informando que a gata dela recentemente tivera uma cria e que havia uma fêmea sobrando. Não parei para perguntar a idade dela, ou qual a sua cor, mesmo existindo diversas cores de pelos nessa raça, e Janet também não informou muita coisa, mas ela morava em Chorley, Lancashire, o que significa apenas um pulinho pela autoestrada, por isso, respondi:

– Que ótimo. Posso ir vê-la?

Na noite seguinte, quando Dave saiu do trabalho, minha mãe veio ficar com as crianças enquanto saíamos para ver a gata. Resolvemos não levar as crianças porque não queríamos que elas pensassem que ficaríamos com a gata imediatamente, e não queríamos que elas ficassem desapontadas caso resolvêssemos não ficar com o filhote por algum motivo. A intenção era apenas dar uma olhada, mas, mesmo assim, levamos a caixa de transporte.

Quando chegamos, a criadora abriu a porta com a gatinha no ombro, uma bolinha minúscula de pelos. Entramos na casa e uma linda Birmanesa adulta, a mãe da filhote, nos recebeu. Janet também tinha uma vira-lata preta adorável – e também todos aqueles filhotinhos correndo de um lado para o outro, subindo na mobília. Fazia anos que eu não via Flo subindo em nada e achei fascinante vê-los brincando.

Sentindo-me um tanto superprotetora, disse:

– Ai, eles deveriam estar pulando de tão alto assim?

Ela riu e respondeu:

– Claro. Por que não?

E ficamos lá, observando. De repente, pensei: "Na verdade, eu quero dois, mas isso seria uma extravagância tola". Ainda que seu preço estivesse na média para a raça, aquela gatinha, por 400 libras, não era nada barata. Como se ela lesse minha mente, Janet nos ofereceu um desconto caso levássemos dois.

– Quer que eu vá até o banco? – David perguntou, estando ele mesmo enfeitiçado.

– Não! – exclamei enfaticamente. – Não seja tolo.

Não sei qual desconto ele estava esperando, mas deduzo que ele não fosse grande. Além disso, teríamos as contas duplicadas no veterinário, com alimentação e assim por diante. Filhotes não são nada baratos, por isso me convenci de que um bastaria. Como Jess era a única fêmea, nós a escolhemos. Ela era um pacotinho tão fofo, com seu pelo cor de creme, o rosto escuro e lindos olhos azuis. Era irresistível. Não tínhamos como deixá-la para trás, por isso, a colocamos na caixa de transporte e a levamos direto para casa.

Quando chegamos em casa, as crianças ainda estavam acordadas e ansiosas para conhecer o novo membro da família. A primeira coisa que fiz foi garantir que a cadela estivesse trancada, por motivos óbvios. Lily tivera medo de Flo, porque ela estava acostumada a mostrar as garras em sinal de aviso. Nada de forma agressiva, mas de um modo eficiente para estabelecer quem mandava ali. Mas Flo já era adulta quando Lily chegou filhote, e deixara bem claro que a outra estava invadindo o *seu* território e que, portanto, não toleraria nenhuma tolice. Com Jess era diferente, porque ela era minúscula, era ela quem estava chegando ao território de Lily e não sabíamos como a cachorra reagiria.

Quando Lily foi afastada, coloquei a caixa de transporte no chão, abri a portinhola e aquela bolinha fofa de pelos saiu. Ela era uma coisinha tão atraente, e eles nunca tinha visto um gatinho tão novo assim. Todos ficaram completamente bobos. Ela era absolutamente linda e muito amigável. Tivemos amigos que vieram conhecer a nova gatinha e, em vez de arranhar ou sair em disparada quando estranhos a pegavam no colo, ela simplesmente se deixava ficar e permitia ser afagada, ou subia no sofá e se enroscava nos joelhos das crianças. Todos ficavam fascinados por ela.

Lorcan caiu no feitiço de Jess no momento em que a levamos para casa. Foi lindo ver a alegria no rosto dele quando ele a viu sair da caixa de transporte. Ela era pequenina, muito bonita e tranquilamente se submeteu a ser apanhada e carregada, o que encantou Lorcan.

A maioria dos gatos filhotes se opõe quando crianças os manipulam, e os pequeninos podem ser bem desajeitadas, mas a raça Birmanesa é conhecida por ser boa com crianças. Jessi sempre se mostrou uma gata tranquila e tolerante. Gatos filhotes são seres muitos sociáveis e ficam atraídos por movimentos e o tom agudo da voz de uma criança. Como Lorcan sempre foi um menino bem vivaz, Jess se interessou pelas coisas que ele aprontava. Ela queria se envolver em todas as atividades dele. Quer ele estivesse correndo pela casa, imitando Indiana Jones, ou passando o tempo com seus brinquedos na sala de jogos, Jess estava lá.

O relacionamento próximo entre Lorcan e Jessi-cat desenvolveu-se rapidamente e surpreendeu a todos. Nunca, nem em um milhão de anos, antecipei que ele reagiria de maneira tão positiva. Pegamos a cadela quando Lorcan tinha cerca de três anos, e ele a ama, mas a gentileza com que trata Jessi é raramente demonstrada com Lily. Ele chega a ser bruto com ela, lutando, prendendo-a pelo pescoço numa chave de braço e brincando de modo mais agressivo, mas Lily não parece se importar.

Com Jess, desde o começo, ele foi o mais gentil possível. Ele pareceu entender que não se pode brincar agressivamente com um gatinho, da maneira como faz com Lily. Ele a tratou de modo bem carinhoso e logo começou a falar com ela num tom de voz especial, como se ela fosse uma criancinha pequena. Logo ele se mostrou bem protetor, e ainda fica bem bravo com as pessoas que ele acredita que estão sendo "malvadas" com ela.

– Você está bem, Jess? – ele pergunta com suavidade. – Eles foram malvados com você?

Quando eu era criança, meu primeiro gatinho fora resgatado pela minha mãe da perseguição de um cachorro, e ela resolvera ficar com ele. Pediram que meu irmão e eu escolhêssemos um nome, mas não conseguimos chegar a um acordo, por isso o coitado nunca teve um nome. Foi chamado de Psiu ou de Gato a vida inteira. Quando soubemos que pegaríamos um gatinho, não suportei pensar que os três ficariam discutindo nomes de gatos, assim como eu e meu irmão, por isso resolvi que eu escolheria o nome e o apresentaria como fato concreto.

Lorcan tinha um bichinho de pelúcia que adorava, chamado Jess, o gato do desenho *Carteiro Paulo*. Na verdade, ele fora comprado por Adam para mim, mas Lorcan ficou tão afeiçoado a ele que praticamente acabou por adotá-lo. Pensei nesse brinquedo e gostei do nome, por isso lhes disse que a gata se chamava Jess assim que chegamos em casa. Lorcan ficou verdadeiramente contente, uma vez que ela tinha o mesmo nome do seu bichinho de pelúcia. Mesmo assim, no decorrer das semanas seguinte, Jess virou Jessi, Jessica e depois Jessi-cat.

Como já mencionei, seu nome de pedigree é Bluegenes Angel.

Jess tinha doze semanas quando veio para a nossa casa e já tinha sido treinada a usar a caixinha de areia, por isso não nos deu trabalho algum. Gatinhos não são como cachorrinhos, que precisam passear e de um pouco mais de atenção. Com os gatos, basta alimentá-los, limpar sua caixinha de areia e eles ficam bem. Jess, porém, recebia muita atenção de Lorcan e logo retribuiu o afeto. Eles se tornaram inseparáveis. Ela o seguia pela casa, vinha procurá-lo quando ouvia a sua risada e o recebia na porta quando ele chegava da escola.

Lorcan sempre foi fascinado pelas Guerras Mundiais e pelos exércitos. Ele tem pilhas de soldadinhos e até foi para a festa na escola que marcava o casamento do príncipe William e de Kate Middleton, em abril de 2011 – hoje duque e duquesa de Cambridge – vestido numa fantasia de soldado. Inclusive, eu já ganhei um cartão de Dia das Mães feito em casa com o desenho de um soldado com uma arma!

Quando Jess era filhote, Lorcan adorava brincar no chão com sua fortaleza e seus soldadinhos. Ele abria um espaço grande na sala de jogos, lugar em que passa boa parte do seu tempo, e ficava uma eternidade organizando fileiras de soldados, como se eles estivessem no campo de batalha. Jessi cuidadosamente passava em meio às dúzias de soldados ordenados para a luta ou, ocasionalmente, mostrava seu lado travesso e atacava, derrubando-os todos!

Engraçado, mas Lorcan nunca brigou com ela por atrapalhar a brincadeira. Se a cadela ou alguém da família fizesse o mesmo, ele ficaria furioso e provavelmente teria dito que temos "cérebro de ervilha" ou que somos "idiotas", ou teria dito algum de seus outros insultos favoritos. Mas com Jess ele riria ou lhe passaria uma descompostura gentil.

Uma vez eu os filmei brincando com os soldados na sala de jogos. Lorcan metodicamente organizava as fileiras quando ela pulou e arrasou o cenário, deixando os soldados caídos por todos os lados, como uma cena posterior a uma batalha feroz. Lorcan pacientemente os recolheu, um a um, e mal tinha erguido dois ou três quando ela voltou a atacar. Dessa vez, ele os apanhou, bem a tempo, depois voltou a arranjá-los novamente. Se tivesse sido Luke ou eu quem os tivesse derrubado, ele teria ficado furioso, mas apenas disse:

– Pare com isso, Jess – e continuou.

Outra brincadeira favorita que o terrível par descobriu envolvia o chicote de Indiana Jones que Lorcan tinha como parte de sua fantasia. Ele corre pela casa com o chicote em mãos e ela o persegue, e isso os mantém ocupados por horas.

Além de ter dificuldade para expressar as emoções, Lorcan sofre com variações de humor. Ou ele está muito feliz, cantando, ou mal humorado e triste, devastado, chorando e fazendo birra. Não há meio termo, um fato percebido pela psicóloga educacional quando conseguimos nos consultar com ela, mais tarde. Como resultado, Lorcan pode ser bem sonoro – bem barulhento –, especialmente se está chorando ou fazendo birra. Ele grita a plenos pulmões. Mas a sua risada também é alta. Eu posso estar dormindo profundamente no meu quarto e Lorcan me acorda porque ouço a sua risada, na sala de estar no andar de baixo. Ele também tem uma voz bastante aguda, e acredito que alguns gatos se afastariam dele quando ele se mostra muito barulhento, porque eles não gostam de barulhos altos, mas Jess não parece se incomodar. A cadela se afasta se ele está chorando ou gritando, mas Jess permanece ao seu lado. Ela não se aproxima tentando confortá-lo, mas também não se afasta, e apenas sua presença já parece ser um calmante.

Se os gatos têm nove vidas, então Jess só tem mais seis. Ela gastou as outras três antes de chegar o dia de seu primeiro aniversário.

Nos primeiros meses em casa, eu levava Jess para a cama à noite porque não me sentia inteiramente à vontade em deixá-la perto da cadela. Lily tinha um pouco de ciúmes, e eu pensei que ela poderia bater nela com a pata ou até mordê-la no pescoço, porque os cachorros podem fazer isso para mostrar a sua dominância. Ela era tão pequenina que eu estava determinada a ficar de olho nela.

Na noite em que a trouxemos para casa, a cadela interessou-se muito por ela e não pareceu propensa a machucá-la, mas eu ainda não queria arriscar. Por isso, coloquei Jess em sua caminha e a levei para cima conosco. Assim que a depositei no chão, ela subiu na cama e se acomodou no meu travesseiro, e eu não tive coragem de tirá-la, por isso subi na cama com cuidado e fiquei ao seu lado.

Pela manhã, não consegui vê-la de imediato e depois a encontrei espremida entre os meus travesseiros, sem se mexer. Uma sensação de absoluto terror me assolou. Pensei mesmo que a tivesse sufocado, e fiquei absolutamente gelada. Depois gritei:

– Eu a matei! Eu a matei!

Dave calmante a pegou e ela abriu os olhos, piscando e bocejando. Ufa!

Alguns dias mais tarde, a curiosidade quase matou o gato quando ela caiu na banheira. Eu nem sabia que gatos gostavam de água, por isso nem pensei em fechar a porta enquanto enchia a banheira para um belo banho demorado. Entrei no banheiro e me deparei com um gatinho muito surpreso e molhado pulando para o tapete, completamente encharcado. Ela não estava nada bonita. Caíra dentro da banheira e, de algum modo, conseguira se salvar, subindo pela lateral. Como eu gosto de encher com bastante água, ela poderia muito bem ter se afogado.

Jess era uma gata tão bonita e carinhosa que muitas das pessoas que nos conheciam queriam que a deixássemos ter filhotes, porém, decidimos que isso não aconteceria porque pode ser perigoso para a gata, além de eu ser tão coração mole que acabaria querendo ficar com todos os gatinhos. Por isso, quando ela estava com seis meses, eu a levei para ser castrada, como fiz com os nossos outros animais. É uma cirurgia de rotina, e eu não antecipei qualquer tipo de problema, então a deixei no veterinário e voltei para casa, combinando de ir buscá-la mais tarde.

Naquela tarde, recebemos um telefonema da clínica, que disse:

– Ela está bem agora, mas seu coração parou quando a anestesiamos.

E eu pensava o que diria para as crianças caso ela morresse. "O que vou fazer?"

Fiquei apavorada. Eles queriam permissão para tirar raios X para verificar anomalias cardíacas e disseram que a manteriam aquela noite ali em observação. Àquela altura, estávamos todos tão apegados a Jessi que a ideia de perdê-la foi devastadora.

Felizmente, estava tudo bem nos raios X, e eles decidiram que o anestésico usado por eles não era adequado para ela. Além disso, a veterinária acreditou que ela fosse uma Ragdoll – uma raça diferente de gatos, da qual se sabe ter propensão a problemas cardíacos – e acho que ela entrou em pânico. Jess não foi castrada naquela ocasião, e nós passamos vários meses depois disso decidindo se ela devia ou não ser operada. No fim, consultei um veterinário diferente, e perguntei:

– O que você faria?

Ele respondeu:

– Eu usaria uma droga diferente.

Fomos em frente e, daquela vez, ela ficou bem, mas eu fiquei bem abalada. Jamais pensei que ela correria risco de morrer na mesa de operações por conta de uma cirurgia simples como essa. Aquilo foi bem traumatizante.

Ainda bem que Jessi conseguiu sobreviver a essas experiências de quase morte e, àquela altura, ninguém sabia do impacto que essa gata adorável teria em nossas vidas.

Capítulo 6

Laço inquebrável

Jessi-cat sempre foi uma gata doméstica. Nós a deixamos sair para o jardim, mas sempre sob supervisão constante, e Lorcan ama vê-la brincando lá, portanto, está sempre do lado de fora quando ela sai.

Nas primeiras vezes em que saiu, ela passou o tempo explorando, subindo nas árvores e sendo resgatada, e se aventurando ao entrar e sair dos canteiros de flores. Então, uma tarde, enquanto Lorcan brincava com ela do lado de fora, Jess subitamente subiu na cerca e desapareceu. Ela foi rápida como um raio, e nós ficamos desesperados. Nós a chamamos, mas ela não apareceu, e não a encontramos em parte alguma, por isso passamos as duas horas seguintes batendo de porta em porta dos vizinhos, gritando seu nome, subindo e descendo a rua. No fim, ela foi vista a poucas casas da nossa, divertindo-se a valer enquanto caçava borboletas num canteiro de flores, sem se importar com a balbúrdia que causara.

Em abril de 2011, seis meses após a sua chegada, num dia adorável de primavera, levamos Jess para o jardim e ela passou alguns minutos comendo grama e cheirando aqui e acolá, como faz sempre. Normalmente, ela se contenta em ficar onde a colocamos, mas naquele dia em especial seu lado travesso assumiu o comando e ela resolveu provocar outra comoção.

Luke e Lorcan a supervisionavam no jardim enquanto eu me ocupava limpando a sua caixinha de areia – sim, minha vida é glamorosa! De repente, ouvi os meninos gritando e berrando e, quando saí, Lorcan estava vindo na direção da casa, parecendo preocupado.

– Jess subiu numa árvore! Ela não consegue descer – ele me explicou agitado.

Fui investigar e vi Jess agarrada a um galho a uns 3,5 metros de altura em uma árvore em nosso jardim de trás. Luke, que sobe muito bem em árvores, escalou o mais que pôde, mas ainda assim não conseguia alcançá-la. Estávamos ficando preocupados, porque ela miava assustada, agarrando-se e parecendo bem desequilibrada, como se pudesse cair a qualquer instante.

– Entre em casa e chame Adam – eu disse. Com Dave no trabalho, Adam era o mais alto na casa, então eu tinha esperanças de não ter de dar o telefonema clichê para o corpo de bombeiros. Com grande esforço, Adam conseguiu subir e resgatar a gatinha desgarrada, que pareceu bem contente por estar em terra firme novamente. Depois disso, nós a mantivemos dentro de casa por um tempo.

Uns quinze dias mais tarde, desci as escadas e encontrei Jessi percorrendo a casa muito excitada. Obviamente, ela estava caçando alguma coisa e, quando olhei mais de perto, percebi que era uma mosca. Ela passou umas duas horas perseguindo-a e dando pulos. Quando a pegou, todos nós a observávamos fascinados. Como ela é uma gata caseira, não estávamos acostumados a vê-la agindo como um gato "de verdade", perseguindo e caçando uma presa.

Por fim, a mosca ficou acuada, zumbindo perto de uma janela da sala de estar. A caçadora Jessi atacou e a pegou. Ficamos tão contentes por ela que irrompemos num aplauso entusiasmado. Claro que, depois, tive que remover a vítima quase morta.

Quando Lorcan era pequenino, ele adorava os livros de Mog, de Judith Kerr. Mog, como você deve imaginar, é um gato, e é a personagem principal de uma série – portanto, ele sempre gostou de gatos –, mas logo percebemos que o elo entre esses dois era algo muito especial. Jessi-cat começou a passar bastante tempo no quarto de Lorcan e amava dormir sobre uma coberta felpuda que compramos para ele algum tempo antes. Se eu estivesse lendo para Lorcan à noite, Jess se aproximava e se enroscava na cama como se quisesse ouvir com ele.

À noite, Lorcan ainda montava a guarda de bichinhos de pelúcia ao redor de sua cama, mas agora, durante o dia, eu encontrava, com frequência, um grupo de macacos na cama cercando meu filho e minha gatinha. Os macacos eram os guardas e Jess era a princesa. Ou Jess poderia passar meia hora sentada em sua árvore para gatos golpeando ratinhos peludos para que Lorcan os apanhasse, o que ele fazia com infinita paciência, como fazemos com os bebês.

Na sala de jogos existe um castelo de papelão para Jess, no qual ela entra enquanto está brincando com Lorcan. Ela espia pelas janelas e ele gosta de deixar brinquedinhos pendurados para ela apanhar. Lorcan ri histericamente quando ela golpeia os brinquedos com a pata enquanto ele grita:

– Olhe para a Jessi; ela está acabando com os bandidos!

Mas ela estava se tornando muito mais do que algo com que Lorcan podia brincar. Ele logo começou a envolvê-la em tudo o que fazia e, mais importante, a conversar com ela, constantemente.

Toda vez em que Jess entrava no quarto, ele começava a tagarelar. Ele lhe contava sobre o seu dia, o que aprendera na escola e assim por diante.

Embora conversasse com Jess, ele nunca revelava de fato muita coisa sobre seus sentimentos, porque não acredito que ele consiga fazer isso com alguém. Se eu pergunto:

– Como foi na escola?

Ele diz:

– Uma droga.

Mas se eu pergunto por que foi uma droga, ele apenas diz qualquer coisa para me calar. É impossível saber o que se passa dentro dele.

Lorcan não consegue dizer se teve ou não um mau dia na escola, como as outras crianças. Se sua professora está num curso e eles têm que colocar uma substituta, ele fica bem, mas reclama mais quando chega em casa, e é assim que sabemos que algo está errado. Ele não conseguiria dizer:

– Não gostei daquela mulher nova.

E é essa uma das coisas que me preocupa, porque, da mesma forma, ele não saberia me dizer se está sofrendo bullying ou se alguém lhe fez algo que o aborrecesse.

Mesmo com Jess, ele não diz nada profundo como "hoje isso aconteceu e eu não gostei". Mas ele parece gostar do fato de obter uma resposta verbal dela toda vez que lhe conta alguma coisa. Ela tem um miado bem alto e essa é a sua resposta, o que o faz conversar ainda mais.

Quando está no chão com seus soldadinhos, ele lhe lança comentários sobre a batalha que encena:

– Este soldado de verde está lutando contra este de preto – e lhe mostra quem são os mocinhos e quem são os bandidos. E lhe faz perguntas constantes, parecendo bem satisfeito com os miados que recebe como sendo as respostas que ele quer.

Como um verdadeiro corvo tagarela, Lorcan sempre se sentiu atraído por "tesouros" brilhantes. Aos sete anos, ele esteve na casa de minha mãe e subiu até o banheiro, depois desceu carregado de joias. Ele estava cheio de pulseiras nos braços e com um anel em cada dedo. Quando chegou a hora de ir embora, elas tiveram de ser tiradas dele sob veementes protestos. Ele tentou negociar para ficar "só com uma coisinha", que era, nada mais, nada menos, do que a aliança de casamento de 22 quilates. Desnecessário dizer que negamos. Assim que chegamos em casa, ele mal conseguia se aguentar para reclamar com Jessi-cat.

– Vovó malvada não me deixou ficar com aquela coisinha dourada – ele lhe contou.

Ele obteve o miau desejado cheio de empatia e depois, toda vez que visitava minha mãe, ia direto procurar a aliança.

Quando Lorcan chega da escola, Jess desce para se encontrar com ele. Ela não dorme muito, como alguns gatos, mas vagueia pela casa à procura de diversão. Ela procura por ele em seu quarto e nós sabemos quando ela entra, pois ele começa a tagarelar em sua voz melodiosa, contando-lhe tudo. Ouvir esse som me faz sorrir porque eu sei que a conversa dele com Jess só pode ser algo positivo.

Temos uma fotografia de Lorcan que tirei por acaso quando ele chegou em casa, vindo da escolinha de futebol. Ele está vestido com o uniforme, ajoelhado no chão, para tirar as chuteiras sujas. Jess acabara de se aproximar dele e o tocava no nariz com o focinho. É uma imagem muito doce e ainda mais comovente porque, enquanto ele não gosta de ser tocado por mim ou por Dave, ele não se importa em ser tocado por animais, especialmente por Jess.

Jess faz as coisas costumeiras dos gatos, como acomodar-se sobre o teclado do computador, esgueirar-se por entre as pernas das pessoas quando elas sobem as escadas, arranhar o papel de parede e se esconder do aspirador de pó. Também temos de verificar as máquinas de lavar e de secar roupas antes de usá-las, porque ela costuma entrar sorrateira para tirar um cochilo.

Ela odeia o som do aspirador, por isso corre e se esconde quando o estou usando, depois reaparece quando ele é desligado. Se estou limpando o chão, ela persegue o esfregão, o que me faz levar o dobro do tempo para terminar a tarefa.

Lorcan estava me observando limpar o chão da cozinha e pediu se podia tentar. Eu lhe mostrei como fazer e lhe disse para passar o pano sem pisar na parte que havia limpado para não voltar a sujá-la. Deixei-o fazendo aquilo. Jess estava se divertindo a valer, perseguindo o esfregão, e Lorcan começou a gritar para mim:

– Jessi fica pisando no chão limpo com suas patas sujas! O que vamos fazer?

Ele estava sorrindo ao dizer isso e, secretamente, estava adorando a "ajuda" de Jessi na limpeza.

Em certa ocasião, resolvi organizar a estante de livros, mas Jess pensou em entrar em ação, por isso escalou e se sentou sobre os livros. No fim, eu tive que desistir!

O nosso telefone fica no corredor e quando estou nele, ela consegue se tornar uma verdadeira inconveniência. Ela pula no armário e começa a miar alto, esfregando a cabeça no aparelho. Ela já interrompeu minhas ligações algumas vezes, pisando no telefone. Também é complicado se estou tentando escrever alguma instrução ou anotação, pois ela afasta a caneta da minha mão. Eu nem posso fechá-la na sala, visto que ela sabe abrir todas as portas.

Ela adora tudo o que é felpudo ou peludo, por isso temos que tomar muito cuidado com o que deixamos espalhado. Meu cachecol predileto tem uns pompons na ponta e, por diversas semanas, eu o encontrava no alto das escadas, depois em baixo, e não seria preciso consultar nenhum Sherlock Holmes para descobrir quem vinha brincando com ele. Eu sempre o deixei na beira da cama, mas eu poderia encontrá-lo em qualquer parte da casa até ela se cansar dele.

Como uma vira-lata travessa, ela atormenta a pobre cadela, irritando-a até que Lily a persiga. A despeito das minhas dúvidas no início do relacionamento delas, Jess defende seu território e agora elas brigam e se perseguem, mas sempre de brincadeira. Apesar de Jess ser sempre a provocadora, é Lily quem se mete em apuros com Lorcan. Ele não gosta disso e sempre dá bronca nela, com um firme: "Pare, Lily. Você está machucando Jess!".

Quando Jess deseja alguma coisa, ela deixa isso bem claro, fazendo-se ouvir. Ela mia incrivelmente alto quando quer ser apanhada no colo e gosta de ser afagada e acariciada. Ela ama receber carinhos. Lorcan não a pega muito no colo porque eu não gosto do modo como ele a segura. Ela acaba pendurada com as patas da frente esmagadas contra o corpo dele. Jessi não se im-

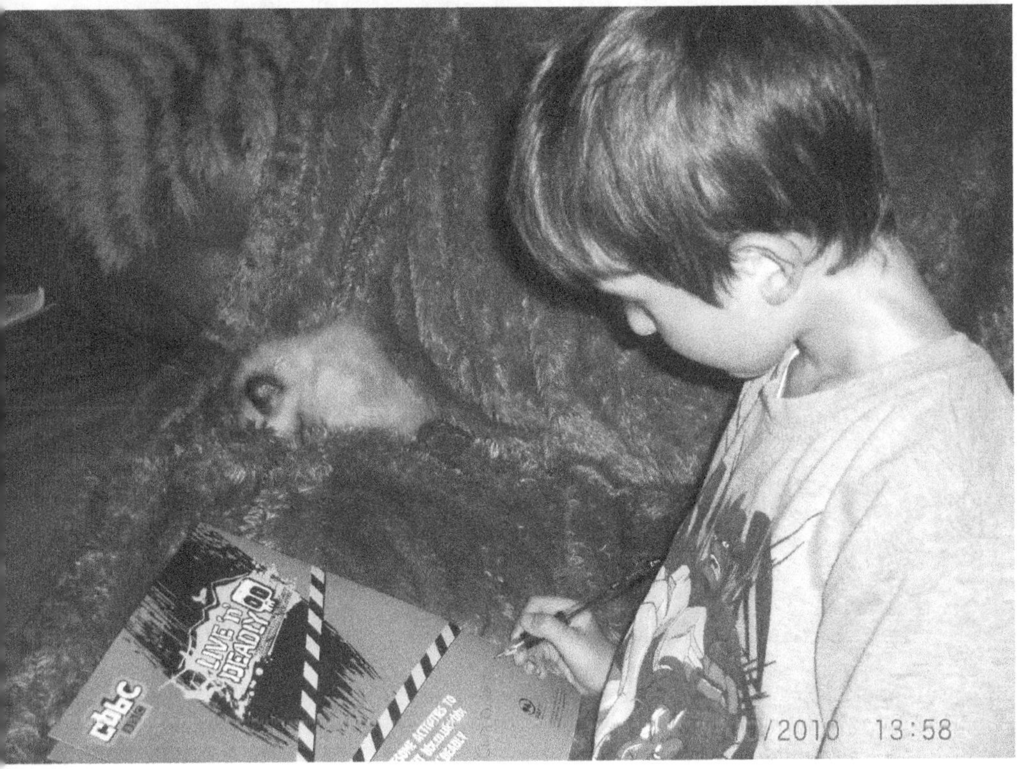

a: Jessi-cat era uma bolinha de pelos quando entrou em nossas vidas em 2010...

ixo (esquerda): ... mas Lorcan e ela se apaixonaram imediatamente.

ixo (direita): Meu atrevidinho em seu uniforme de escoteiro dos Beaver Scouts no Dia de Premiação.

Acima: Ai, quanta indignidade! Ela pode parecer um tanto irritada nesta fotografia, mas Jessi-cat está sempre disposta a brincar.

Abaixo: Então, quem são os vermelhos e quem são os azuis mesmo? Eles brincam juntos por horas e horas, e maravilhoso ouvir Lorcan conversando sem parar com sua preciosa amiga.

a: Não estou bem certa se ela ama a cama elástica, mas Jessi não para de seguir Lorcan.

co: E ela não tem que lidar apenas com Lorcan! Aqui ele está com o irmão, Luke – dupla encrenca para Jess!

Acima: Eu e minha sombra... Jess cat é a digna vencedora do prêm Gato Nacional de 2012 da Cats Protection Awards, e Lorcan fico muito orgulhoso dela. (© Fotogr de Paul Maven)

Esquerda: Eu com os dois terríveis, casa após a cerimônia de premiaçã (© Fotografia de Paul Maven)

Acima: Nossa preciosa Bluegenes Angel. (© Fotografia de Paul Maven)

Abaixo: Jessi é muito sensível a todos os estímulos.

Acima: Nada está a salvo quando Jessi-cat está à espreita...

Abaixo: ...mas ela e Lily, a cadela, chegaram a um "entendimento".

na: "Não sei por que estou sentada sobre a TV, Lorcan. Por favor, não pergunte. E não, não é confortável."

ixo: Dentro ou fora de casa, eles estão sempre juntos.

A ligação entre Lorcan e Jessi-cat é incrível. Ela mudou a vida dele de muitas maneiras. De fato, ela é uma Bluegenes Angel. (© Fotografia de Paul Maven)

porta – muitos gatos poderiam se impor, ou reclamar –, mas eu não suporto olhar e digo:

– Coloque-a no chão. Ela não me parece muito contente sendo segura desse modo.

Mas ele pode fazer carinho nela e ela o segue em todos os lugares. Se ele está sentado assistindo TV, ela se aproxima e se senta com ele ou se deita ao seu lado no sofá.

Jess é uma gata curiosa e gosta de saber o que você está fazendo. Se estou em casa sozinha, à toa ou cuidando de alguma tarefa, ela vem me procurar, onde quer que eu esteja. Ela gosta de companhia, gosta de pessoas, por isso as procura. Mas adultos são muito entediantes, porque estão cozinhando, ou sentados conversando, e não fazem nada de interessante. Uma vez que os meninos têm muitos brinquedos e coisas divertidas, ela prefere estar ao redor deles e procura coisas interessantes nos seus quartos. Ela pula sobre os armários e prateleiras, dá uma cheirada e derruba tudo nesse processo.

Jess parece bem inteligente. Ela logo aprendeu seu nome e, quando dormia em nosso quarto, eu dizia: "Cama, Jess", e ela, obediente, trotava escada acima.

Embora a mantivéssemos no andar de cima por um tempo, agora ela dorme onde bem quer. A porta do nosso quarto não fica bem fechada, mas eu a encosto e depois ouço um ligeiro rangido seguido de silêncio, e logo ela entra. Posso estar sentada lendo e, toda vez que ela me vê lá, parece assustada. Ela sabe que subi, por isso não faço ideia do motivo de ela ficar tão surpresa.

Até as pessoas que nos visitam que não gostam de gatos apreciam Jess. Tenho uma amiga que realmente não gosta de gatos – a exceção é Jess. Ela não a acaricia, mas se mostra fascinada pela gatinha. Acredito que sejam os penetrantes e extraordinários olhos azuis.

Em abril de 2011, Lorcan começou nos Beaver Scouts – a divisão mais jovem do escotismo na Inglaterra – com dois amigos da escola. Já fazia um tempo que Luke frequentava o escoteiro, e fora promovido aos Cubs[5], por isso Lorcan foi bem contente, uma vez que fora muitas vezes lá quando deixávamos seu irmão. Os líderes eram conhecidos de Lorcan. Eu lhes expliquei sobre o mutismo seletivo, e todos se mostraram bem compreensíveis.

Eles sabiam que Lorcan não conseguiria dizer o juramento dos Beavers em voz alta, então permitiram que ele o escrevesse e pediram que outra pessoa o lesse em seu lugar. Ele gostou muito dos encontros de fim de semana, mas quando eles começaram a fazer excursões que duravam o dia inteiro, ele não se sentiu apto a ir. No entanto, ele conseguiu participar de um viagem curta numa caminhada pela floresta, o que foi um imenso progresso, por isso ficamos todos contentes.

No verão depois que ele se juntou ao grupo, os Beavers convidaram a tropa de Lorcan para um dos grandes acampamentos, Bispham Hall, perto de Wigan, para uma programação de dia inteiro do distrito chamada Celebração da Excelência do Escotismo. Lorcan concordou em participar só porque os pais eram convidados, por isso fomos juntos. Os meninos foram encorajados a experimentar diferentes atividades como tiro ao alvo, do qual Lorcan participou e gostou, mas ele se recusou a tomar parte da descida de uma encosta lamacenta.

Depois de tudo, as crianças receberam certificados de participação, e Lorcan ficou muito feliz com isso.

Em agosto de 2011, pouco antes de Lorcan embarcar em outra aterradora mudança de sala, tivemos outra consulta com o pediatra, o doutor John. Nós lhe contamos que a terapeuta de linguagem e fala o dispensara, novamente, e ele se mostrou bem contrariado. Ele ligou para a terapeuta e perguntou:

– De que adianta desenvolver um programa para a escola, se ninguém o acompanha?

---

5 Os Cubs equivalem aos Lobinhos, e os Scouts, aos Escoteiros. Não existe menção a um grupo de faixa etária menor que a dos Lobinhos no Brasil. (N.T.)

O pediatra também escreveu uma carta, descrevendo o caso de Lorcan. Ele escreveu: "No Escotismo alguém fala por Lorcan, como no relacionamento bíblico de Moisés e seu irmão Aarão".

Não sendo uma pessoa muito religiosa, pesquisei a história porque nunca ouvira falar a respeito. Ao que tudo leva a crer, era Aarão que se dirigia às pessoas em nome de Moisés, porque ele "falava bem". Ocorreu-me que essa poderia ser a descrição do relacionamento entre Luke e Lorcan.

Fiquei satisfeita que ele tenha comentado da participação de Lorcan no Escotismo. Muitas vezes senti, ao me consultar com médicos e especialistas, que eles suspeitavam que eu não permitia que ele fizesse as coisas que os outros meninos fazem, mas ele participou dos Beavers desde os seis anos de idade, e agora está nos Cubs. Ele também adora futebol e passa boa parte do seu tempo chutando uma bola, como qualquer outro garoto.

Quando Lorcan tinha três anos, Dave conseguiu ingressos para um jogo do Manchester City e levou os dois meninos. Era um jogo de pré-temporada entre o City e o Valencia, no Estádio da Cidade de Manchester, que agora foi rebatizado de Estádio Etihad.

Enquanto se acomodavam em seus assentos perto da lateral do campo, ouviram aplausos atrás deles. Olhando para trás, viram que a reação dos torcedores foi pela chegada de Ricky Hatton, um antigo campeão de peso-médio do boxe. Dave mencionou casualmente a Luke e Lorcan quem era o homem, depois ele e Luke se acomodaram para apreciar o jogo. Lorcan passou o primeiro tempo inteiro de costas para o campo para ver essa "pessoa famosa", ignorando totalmente o jogo.

Lorcan sempre mostrou interesse por futebol, mas é muito volúvel no que se refere a torcer por um time. Ele demonstrou interesse pelo Chelsea e pelo Stoke antes, mas só porque gostava do som dos seus nomes! Ele tem um álbum de figurinhas de futebol e sabe o nome de todos os jogadores. Ele também tem tanto a camiseta do Manchester City quanto a do Manchester United, o que não é bem visto na cidade. Ele é um torcedor indeciso.

No Segundo Ano, ele entrou para uma escolinha de futebol às quintas à tarde e, nas férias do verão passado, ele insistiu em ir à escolinha de futebol de sua escola primária. Ele conhecia o treinador e alguns de seus amigos iriam. Fiquei bem surpresa, pois era uma atividade de período integral por duas semanas, mas foi ótimo para ele, pois ele se socializava com pessoas desconhecidas e estava se exercitando, mas, acima de tudo, estava se divertindo muito. Ele tinha que levar o almoço e usar uniforme e Lorcan, sendo Lorcan, ia vestindo uma variedade misturada de uniformes. Uma vez ele vestiu um meião da Irlanda, o outro da Inglaterra, shorts do Manchester City e camiseta do United!

Foi depois de um desses dias que tirei a foto de Jessi saudando-o como um gato faz, encostando o focinho no nariz dele.

Ele gostou da escola de futebol, mas depois que voltou às aulas em setembro, perguntei-lhe se ele queria voltar para as aulas de futebol à tarde depois da escola.

– Não, é chato – ele respondeu.

– Mas pensei que você adorasse – disse eu, surpresa.

– Eu só quero jogar, não quero fazer as outras coisas chatas.

Basicamente, ele gostava dos jogos, mas não queria fazer os exercícios de aquecimento, os treinos técnicos e de condicionamento físico. Mais tarde, falei com a fonoaudióloga sobre isso e ela sugeriu que provavelmente seria por causa da Síndrome de Asperger, que faz com que ele não compreenda a necessidade de aprender certas habilidades a fim de jogar melhor. Ele queria apenas participar das partidas. No entanto, conversei com outros pais que disseram que seus filhos também pensavam assim naquela idade e que voltaram a jogar futebol mais tarde com maior entusiasmo. Ele ainda gosta de jogar futebol e chuta uma bola com muita alegria dentro de casa, até eu o mandar para fora.

No ano passado, nós conseguimos espiar um dos camarotes em Old Trafford – lar do Manchester United – porque fomos a um evento lá. Lorcan adorou ver o campo e espiou os armários, mas deixou um souvenir todo seu: dezenas de marcas de suas mãos pegajosas na janela de observação, que estivera imaculadamente limpa até chegarmos.

Em sua carta, o doutor John acrescentou que nós não conseguiríamos tratar a dificuldade de comunicação a menos que sua causa fosse compreendida. Ele concluiu: "O resultado esperado é positivo, desde que as ansiedades de Lorcan sejam o foco da atenção, isto é, desde que sua fala não seja o centro".

Como resultado, Lorcan finalmente está sendo acompanhado por uma terapeuta de linguagem e fala, que tem alguma experiência em mutismo seletivo, e ela tem dado um excelente suporte à escola.

O doutor John ainda está preocupado com a contínua dificuldade de Lorcan na escola e acredita que ele deva ser "declarado" – ou seja, receba uma declaração de Necessidades Educacionais Especiais (SEN, em inglês: Special Educational Needs), o que, por sua vez, pode significar apoio e suporte financeiro para que a escola possa ajudá-lo a obter o máximo em sua educação. Isso, concordei, seria ainda mais necessário quando ele passasse do ensino primário para o secundário – uma mudança que me aterroriza, visto os trauma pelos quais eu sei que Adam passou em sua adolescência.

Assim que cheguei em casa dessa consulta, escrevi para a Autoridade Educacional Local de Trafford requisitando a declaração SEN. Algumas semanas mais tarde, recebi uma carta extremamente inútil que começava assim: "Prezada senhora Dillan". Escreveram meu nome errado, um mal começo, para dizer o mínimo. E continuava: "De acordo com o código de prática das Necessidades Educacionais Especiais, o diagnóstico médico de inaptidão não necessariamente implica que a criança tenha necessidades educacionais especiais". Em outras palavras: nos deixe em paz!

Que interessante enviar uma carta dessas para um pai preocupado. Não fiquei feliz. Naturalmente, essa não foi a última vez que ouviram falar de mim.

Capítulo 7

Três pequenas palavras

Certa tarde, uns seis meses depois que pegamos Jess, eu estava sentada lendo o jornal em nossa sala de estar e Lorcan e a gatinha estavam brincando animadamente no chão com o brinquedo predileto dela, um bichinho de penas verdes. De repente, ouvi Lorcan dizer uma frase surpreendente:

– Eu te amo, Jessi-cat.

E depois acrescentou:

– Você é a minha melhor amiga.

Eu não acreditava em meus ouvidos e fiquei com os olhos rasos de lágrimas. Era a primeira vez que eu o ouvia dizer essas palavras, e eu não me importei por elas não terem sido dirigidas a mim.

Como já disse, Lorcan nunca fora capaz de expressar suas emoções. Ele jamais diria "eu te amo" para mim, e tudo bem. Ele expressa seu amor de maneiras singulares, como baixando um jogo para mim no meu iPad ou me trazendo um biscoito quando estou tomando chá, mas eu sei que ele me ama, por isso não preciso ouvi-lo dizer isso em voz alta. Mesmo assim, ouvi-lo dizer isso para Jess foi uma surpresa, mas também foi um momento verdadeiramente lindo e meigo. Até senti um farfalhar na barriga visto que diversas emoções me acometeram. Mais do que tudo, eu estava feliz por ele, pois não é possível simplesmente guardar todas as suas emoções para si. Não é possível ser saudável mantendo tudo trancado, e estou certa de que isso só poderia levar a problemas mais tarde.Você tem que ser capaz de expressar suas emoções, quer seja gritando, tendo um ataque de nervos ou expressando os sentimentos de maneira mais calma.

Parte da minha surpresa veio do fato de Lorcan sempre pular palavras "sentimentais" quando está lendo, ou trocá-las por outras menos embaraçosas. Ele também faz isso com os nomes das meninas que considera bobas, e cobre os olhos quando vê alguém se beijando na TV – mesmo as personagens animadas da Disney. Portanto, ouvi-lo dizer a Jess que a ama é um marco. Foi, e ainda é, de grande importância para nós. Isso pode ser usado como um ponto de partida para ensiná-lo a respeito das emoções, o que é importante para a sua saúde mental.

As pessoas frequentemente me perguntam se fiquei magoada por Lorcan poder dizer à gata que a ama, mas não dizer a mim. Do fundo do coração, posso garantir que não me sinto assim. Apenas sinto que é saudável que ele possa expressar seu amor por Jess, já que não o consegue com as pessoas. A minha esperança é que, um dia, ele consiga aprender a fazer isso com as pessoas, expressando certos sentimentos ou reações, mesmo que não sejam genuínos. Ele não reage do modo que a sociedade dita que devemos, porque ele não tende a enxergar a perspectiva de outras pessoas. Com Jess, ele consegue isso. Se a cadela a está perseguindo e ela está miando – mesmo que estejam brincando –, Lily leva um bronca de Lorcan porque ele sabe que Jess é menor e mais delicada e necessita de cuidados. Portanto, a afinidade que ele tem com ela o ensinou a enxergar as situações de um ponto de vista diferente do seu.

Outro traço que ele tem, que é comum entre os portadores de autismo, é a incapacidade de sentir compaixão pela dor ou tristeza de outra pessoa. Uma vez eu caí da escada e, apesar de não ter me machucado muito, cheguei a torcer o tornozelo e fiquei caída no fim dos degraus, chorando de dor.

Luke e Lorcan estavam brincando a uns cem metros de mim, na sala de estar, e Luke veio correndo em minha direção para ver o que havia acontecido. Lorcan continuou exatamente onde estava, entretido com seu jogo no iPad. Ele permaneceu alheio à coisa toda. Isso é consequência do Asperger, e Adam teria reagido da mesma maneira com a idade de Lorcan. Agora que está mais velho, Adam aprendeu a maneira certa de reagir se alguém está passando por dificuldades ou se está machucado. Há pouco tempo, ele havia ido com um amigo para Edimburgo e o amigo teve um ataque epilético, então coube a Adam lidar com a situação, cuidando dele e chamando a ambulância, mas ele sabia que essa era a reação correta e se saiu bem.

As pessoas normalmente acreditam que aqueles com algum grau de autismo não sentem nenhum tipo de empatia. Também pensei assim, especialmente enquanto estava caída nas escadas. Fiquei magoada e um tanto chocada que ele não tivesse reagido. Mas isso não significa que eles não sintam nada, apenas que eles não sabem expressar e não sabem como reagir, o que se enquadra muito bem no que se refere a Lorcan.

Se me chutasse sem querer, ele apenas riria. Não pediria desculpas nem se preocuparia em ter me machucado, enquanto Luke automaticamente diria: "Desculpe, mãe. Você está bem?". Mas a história é diferente quando ele está perto de Jess. Se Lorcan esbarra nela, ele diz: "Desculpe, Jess. Sinto muito mesmo", e depois a afaga e brinca com ela. Lorcan só reage assim com a gata. Ele pode ter aprendido essas coisas com Luke, mas ainda não faz isso com as pessoas.

Mas acredite, ele deve ter aprendido alguma coisa com o acidente da escada – nem que seja quase me matar de susto. Certa tarde, eu estava no banheiro de cima quando ouvi um barulho de algo caindo, corri para ver que desastre lhe acontecera. Lorcan estava largado no fim da escada, por isso corri, em pânico, para ver se ele estava bem, e logo vi que o danadinho começou a rir. Ele se ajeitou no fim da escada para me pregar uma peça!

Depois da primeira vez em que ele disse a Jess que a amava isso se tornou um hábito.

Ele pode estar no chão brincando com ela e, de maneira espontânea, dizer "eu te amo, Jess". Ele lhe pergunta como ela está e conversa com ela sobre o que ele está fazendo de um modo muito meigo. Ele a pega no colo e até a beija – e ele jamais me beijaria, nem em um milhão de anos.

Nos meses que se seguiram após a primeira declaração de amor, eu o observei interagir com a nossa linda gata e comecei a perceber como o vínculo entre eles era especial para o meu filho. Ver esse garotinho desfrutar de uma ligação tão próxima de sua mascote foi emocionante e me trouxe lágrimas aos olhos. Lorcan, evidentemente, sente-se à vontade com Jess – como não se sente perto das pessoas – e lhe é devotado. Ela reage à altura, miando de acordo e esfregando a cabeça em Lorcan e em seus brinquedos. Ela o recebe na porta quando ele chega da escola, às vezes esfregando o focinho no nariz dele.

Se Lorcan está aborrecido, ele a procura para se consolar. Ele parece estar triste e diz:

– Quero a Jessi.

Depois a procura e a afaga. Ele também faz isso se acha que está encrencado. Lorcan reage bem a sorrisos e fica confuso se alguém está bravo com ele. Se usamos um tom de voz sério, ele acha que estamos gritando, mesmo quando não estamos.

Muitas vezes fico imaginando se as respostas vocais mais óbvias que Jess dá a Lorcan lhe são mais perceptíveis e, portanto, o tocam mais do que as reações mais sutis que ele recebe da cadela. Talvez seja por isso que ele reage de maneira diferente aos dois animais.

No verão seguinte à chegada de Jess, Adam teve que ser submetido a uma cirurgia e, quando ele voltou do hospital, Dave levou os dois menores para a Irlanda para um fim de semana estendido, a fim de permitir que Adam tivesse um pouco de paz e sossego enquanto se recuperava.

Antes disso, ele já levara Luke sozinho, mas nunca os dois. Daquela vez, porém, não ouve nenhuma gritaria na balsa e ambos ficaram bem comportados. Lorcan pode ser uma ameaça, mas Luke é de imensa ajuda para cuidar dele, e Lorcan também está se acostumando mais com o lado irlandês da família, que é maravilhoso com ele. Mesmo não falando diretamente com as pessoas, ele conversou animadamente diante delas e se divertiu muito.

Um dia, Dave e os meninos foram visitar a irmã dele, Marie Louise, que tinha um bebê pequeno. A certa altura, Dave percebeu que Lorcan tinha desaparecido e foi procurá-lo, encontrando-o à vontade no quarto do bebê, olhando e examinando os brinquedos da criança.

Era a primeira vez que Lorcan viajava sem mim, por isso, quando todos voltaram, eu estava ansiosa para vê-lo. Luke me deu um forte abraço, mas Lorcan foi direto para os animais e disse:

– Oi, Jess. Olá, Lily!

Pegou Jessi no colo e a acariciou – e depois, por fim, notou--me e lançou um sorriso.

Resolvemos preencher o restante daquelas férias de verão com passeios em família. Num lindo dia de agosto, levamos os meninos para o zoológico Blackpool. Nos divertimos muito observando os bichinhos, e Lorcan adorou todos, mas sentiu uma ligação especial com certo animal marinho.

Na piscina das focas, eu me virei e o vi olhando fixamente através da janela de observação. Uma linda foca apareceu bem diante dele e ficou lá um tempão, só olhando-o fixamente nos olhos. Ele estava extasiado e foi lindo ver sua expressão – estava iluminada pelo maior sorriso que já vi.

Numa viagem a Londres, nós nos deparamos com um homem vestido de Darth Vader (do *Star Wars*, para aqueles que não sabem!). Luke fez pose para uma foto ao seu lado, segurando um sabre de luz, e Lorcan, que costuma se recusar a tirar fotos com qualquer um que esteja fantasiado, correu e agarrou o sabre. Em seguida, começou a digladiar-se com Darth Vader. O pobre homem teve que encorajar Lorcan a *fingir* que lutava em vez de bater de fato os sabres, mas Lorcan estava se divertindo muito.

Com a senhora Stevens sendo transferida para o Quinto Ano, eu ainda estava preocupada pensando em como Lorcan se sairia no Segundo Ano. Eu não precisava ter me preocupado. A sua professora nova, a senhora Carvajal, foi incrível. Tivemos um programa que incluía três sessões semanais de aprendizado individual para Lorcan, ou com alguns poucos alunos. A senhora Carvajal se dedicou de corpo e alma em seguir esse programa, e Lorcan começou a apresentar progressos espantosos. A terapeuta de linguagem e fala se encontrava regularmente comigo e a equipe da escola sempre estava lá para responder às dúvidas, e tudo foi muito bem.

Na verdade, Lorcan se saiu tão bem que pulou alguns passos do programa, o que foi notável.

Por conta dos nossos temores de que Lorcan também fosse autista – um fato do qual eu me convencera há anos –, o doutor John me indicou aos Serviços de Saúde Mental da Criança e do Adolescente (CAMHS, em inglês: Child and Adolescent Mental Health Services), e eu recebi um formulário para preencher: era uma lista dos sintomas do autismo, com quadradinhos para ticar se meu filho apresentava essas características. Eu sabia quais eram os quadradinhos que eu deveria marcar para maximizar as chances de conseguir algo, mas não quis burlar o sistema, por isso preenchi o formulário honestamente. Eles se recusaram a atender meu filho e imediatamente "fecharam o caso".

Irada, respondi com uma carta longa e cheia de referências detalhadas sobre o porquê Lorcan deveria ser atendido: ele sofre de um transtorno severo de ansiedade; ele ainda apresenta mutismo seletivo na escola; ele tem um irmão com Síndrome de Asperger; e assim por diante. A carta tinha quatro páginas – e eu pesquisei a fundo, bombardeando-os com referências de pesquisas recentes sobre o mutismo seletivo e sua ligação com o autismo. Escrevi:

> De acordo com Craig (1993) "existe uma crescente quantidade de pesquisas que sugere que as crianças com transtornos de linguagem (mutismo seletivo) frequentemente têm defasagem de habilidades sociais". Ford et al. (1998) descobriram que "as interações interpessoais, o desenvolvimento social/emocional e o desempenho acadêmico são áreas de preocupação em uma criança com mutismo seletivo".

Ressaltei o efeito negativo de sua inabilidade de falar com outras pessoas, tanto em suas habilidades sociais quanto de aprendizado, e terminei com uma citação de uma pesquisa recente: "Existe a necessidade por parte de todos os profissionais, especialmente dos psicólogo do CAMHS, de serem melhor esclarecidos em relação ao mutismo seletivo e ao seu tratamento"(Roe, 2011).

Em outubro, recebemos uma carta do CAMHS oferecendo-nos uma consulta no mês seguinte. Nós veríamos o psicólogo consultor da clínica e, ironicamente, quando entrei na sala, ele disse:

– Imagino que seu marido tenha escrito a carta.

Que idiota! Não, não foi ele! De qualquer modo, o médico se mostrou um homem bem agradável e concordou que Lorcan apresentava traços de Asperger, colocando-o na lista de espera para o Neuro-Developmental Pathway (Método para o Crescimento Mental, em tradução livre), que é uma nova iniciativa. Ela é utilizada em crianças com suspeita de pertencerem ao espectro do autismo e envolve pediatras, fonoaudiólogos, psiquiatras e psicólogos, que cuidam da criança e elaboram o melhor para as suas necessidades educacionais e de desenvolvimento.

Como já disse, bem poucos profissionais estão treinados para lidar com o mutismo seletivo – ou sequer o reconhecem – e isso inclui o meu marido, um clínico geral. Infelizmente, ele jamais ouvira falar da síndrome até nos depararmos com ela, então, quando vi o anúncio de um curso no site da SMIRA (smira.org.uk), numa cidade vizinha chamada Oldham ele me chamou a atenção. Seria realizado por Maggie Johnson, uma fonoaudióloga e perita em mutismo seletivo, que escreveu a bíblia dessa condição. Ela começou a trabalhar com crianças que foram diagnosticas nos anos 1970 e hoje faz seminários em todo o país.

Eu teria adorado participar, mas o curso era bem caro, por isso resolvemos que seria mais sensato que Dave fosse, uma vez que existia a possibilidade de ele ter pacientes com o mesmo problema.

O curso durou o dia inteiro e ele recebeu muitas informações a respeito de mutismo seletivo. O seminário foi seguido de uma sessão de perguntas e respostas. Dave considerou tudo muito útil e me trouxe algumas informações escritas para eu estudar.

Coincidentemente, no tempo em que o livro estava sendo escrito, ele passou a atender um paciente com essa condição, o que foi muito interessante. A mãe da criança me telefonou e nós conversamos, mas fico me perguntando quantas outras mães estão literalmente sofrendo em silêncio e sem receber apoio.

Em abril de 2012, Lorcan foi visto na escola pela psicóloga educacional. O interessante foi que Lorcan falou com ela, ainda que sussurrando, mas lhe deu algumas respostas bem bizarras às suas perguntas. Ele estava muito inquieto, e só sossegou quando ela deixou que ele ficasse desenhando.

Enquanto ela conversava com ele, Lorcan começou a vasculhar a bolsa dela e, quando ela lhe perguntou se ele gostava dela, ele deixou bem claro que não – sempre com um sorriso cativante, de maneira bem franca!

Depois de realizar a sua avaliação, ela informou que Lorcan não deveria ter problemas de aprendizado. Mas as pessoas com

Asperger costumam interpretar mal o que lhe dizem na escola ou nas perguntas das provas. Isso normalmente é menos perceptível na escola primária, mas pode ser problemático conforme elas crescem, especialmente ao responderem as questões de exames como os GCSEs e os A-levels[6].

Mais para o fim das férias de Natal, quando Lorcan ainda estava no Segundo Ano, ele começou a se mostrar agitado e incomodado. Ele ficava me perguntando:

– Quantos dias faltam para a escola começar? – o que lhe era bem pouco característico.

Então outra pergunta surgiu:

– Quantos dias até a quarta-feira?

Mas não importava o quanto perguntássemos, Lorcan não nos contava o que havia de errado.

Depois de vários dias de tentativas para que Lorcan explicasse o problema, ele subitamente se pôs a chorar e disse:

– Não quero ir para a escola. Não quero ir nadar!

As aulas de natação tinham início no Terceiro Ano, mas Lorcan tinha enfiado na cabeça que, uma vez que o calendário mudava, ele seria promovido depois do recesso de Natal. Eu expliquei que ele passaria de ano somente depois das longas férias de verão, e isso pareceu tranquilizá-lo. No entanto, Lorcan obviamente não compreendeu completamente, e passamos pela mesma situação após o recesso da Páscoa.

6 GCSE, *General Certificate of Secundary Education*: qualificação acadêmica em uma matéria específica, normalmente realizada em algumas matérias por alunos de 14 a 16 anos na Inglaterra, País de Gales e na Irlanda do Norte.
A-levels, *General Certificate of Education Advanced Level*: qualificação acadêmica oferecida por instituições de ensino na Inglaterra, no País de Gales e na Irlanda do Norte para os alunos que estão completando a escola secundária ou educação pré-universitária. (N.T.)

Essa é uma das minhas preocupações: se ele está interpretando errado, mesmo quando imagino que compreendeu bem e nós lhe explicamos de todos os modos possíveis, o que mais ele não está entendendo?

Os problemas para dormir de Lorcan persistiram até ele ter uns sete anos, quando finalmente conseguimos fazê-lo dormir em sua própria cama e ele passou a dormir a noite inteira, na maioria das vezes. Lorcan ainda tem todos os seus macaquinhos de pelúcia organizados ao seu redor, para protegê-lo durante a noite e, como bônus, Jess passou a dormir no parapeito da janela do quarto dele. Embora isso tenha sido muito bom, e uma bela ajuda para fazê-lo ir para a cama de boa vontade, não é tão maravilhoso pela manhã. Como a maioria dos gatos, ela acorda muito cedo e passou a pular na cama de Lorcan ao nascer do sol, miando para pedir seu café da manhã, portanto, isso é uma faca de dois gumes. Mas ele ama tê-la em seu quarto.

Ela também desenvolveu afeição especial pelo colchão inflável de Lorcan, que ele usa quando quer dormir no quarto de Luke. Tivemos que comprar outro porque ela furou o primeiro.

Jess gosta de se juntar a nós na hora da história antes de dormir, e sei que ela não entende, mas ela sempre parece estar prestando atenção.

Lorcan e eu recentemente começamos a ler os livros do Harry Potter. Lorcan lê o primeiro parágrafo, depois eu continuo. Ler esses livros está demorando muito mais do que quando eu lia para Luke, basicamente porque ele gosta de interromper e fazer comentários sobre o que estou lendo, como quando diz que a amiga de Harry, Hermione Granger, é boba por ficar magoada. Ele também interrompe com frequência para rir histericamente das coisas do livro que ele acha engraçadas, como a tia Petúnia chamar o filho Duda de "Dudiquinho". Mas Lorcan não deixa o pai ler porque, como diz a Dave:

– Você não faz as vozes engraçadas que a mamãe faz.

Veja bem, comecei a me questionar se eu não exagerava nas vozes dramáticas quando lia para Lorcan. Na semana passada, ele lia para mim *Os Cinco na Ilha do Tesouro*, quando começou a fazer as vozes mais bizarras que se possa imaginar. Ele criou uma voz diferente para cada personagem, e insistiu em rebatizar a personagem Anne, dizendo:

– Vou chamá-la Annie.

Ele é bom mesmo em criar vozes e é muito engraçado. Quando ele concluiu sua leitura dramática, olhou para mim e nós dois caímos na gargalhada!

Quando lhe dei boa noite, ele perguntou:

– Posso fazer vozes engraçadas de novo amanhã?

Foi ótimo ouvir isso, pois temos muita dificuldade para que Lorcan faça sua lição de casa, ou qualquer tipo de tarefa escolar. Ele fica furioso quando acha algo difícil e tenho me preocupado que seu trabalho escolar acabe sendo sacrificado e ele seja prejudicado. Agora que está achando mais fácil ler e está fazendo as vozes engraçadas, ele está mais contente em ter que enfiar a cabeça entre os livros. No entanto, não sei se um dia ele fará seus deveres com alegria.

No momento, a escola diz que sua leitura está dentro dos padrões – ainda que os padrões deles nem sempre sejam os meus. Mas não quero forçá-lo ou arranjar professores particulares, porque não quero pressioná-lo de nenhuma maneira. Contanto que aprenda a ler, a escrever e a fazer contas, ele ficará bem.

Como ele fica contente em ler para mim, gravei-o lendo uma ou duas vezes para que as professoras o ouçam, mas o modo como o avaliam é fazendo-o apontar para determinadas palavras, para provar que ele as reconhece. Isso se encaixa nos formulários de avaliação deles, mas eu não ligo para esses formulários, eu quero que ele saiba ler de uma forma decente.

Ele lê de boa vontade, mas raramente faz a lição de casa. Luke detestava a lição, mas a fazia mesmo assim; ele reclamaria e gemeria uns dois dias, mas acabaria por fazê-la. Lorcan não quer nem pegar num lápis. Durante as férias de verão, nem uma vez eu o vi com um lápis na mão, e nada o faz fazer sua lição de casa.

Lorcan está mesmo entrando na história de Harry Potter. Recentemente, ele chegou da escola com "não devo contar mentiras" escrito em sua mão – assim como em *Harry Potter e a Ordem da Fênix*, quando o personagem recebeu o doloroso castigo da "pena de sangue". Isso mostrou que ele estava prestando atenção, o que não me ficou óbvio na hora, pois ele sempre se ocupa quando estou lendo, escondendo Jess debaixo das cobertas, remexendo os dedos dos pés para que ela ataque ou só fazendo as bobagens de sempre. Lorcan parece incapaz de ficar quieto por muito tempo. Ele agora pega um brinquedo pequeno ou algum objeto da minha caixinha de joias para ficar mexendo enquanto estou lendo e isso tem dado certo.

Luke sempre adorou Harry Potter e isso passou para Lorcan. Ele assistiu a todos os filmes, repetidamente, e em maio, no aniversário de Luke, nós os levamos ao Estúdio Warner Bros. Ele adorou a aranha imensa, Aragog, e o elfo Dobby, mas a sua atração predileta foi a motocicleta gigante de Hagrid, na qual tanto ele quanto Luke tiveram permissão para montar.

No mesmo mês, fomos para o norte de Londres, onde o irmão de Dave, Mark, mora com a esposa, Aga, e a filhinha deles, Hanna. Os pais de Dave estavam lá, visitando-os, assim como suas irmãs, Stephanie e Marie Louise, com a filha Aine, por isso, dirigimos até lá para ver a família. Lorcan vinha falando bem na escola e eu fiquei me perguntando, durante todo o trajeto, como ele seria como os outros.

Assim como a família de Dave, a mãe de Aga também se juntou a nós e, por ser um lindo dia ensolarado, passamos a tarde no jardim. As duas meninas tinham dois anos na época, e estavam muito engraçadinhas e lindas. Lorcan gostou muito de ver as duas priminhas brincando.

A certa altura, passei pela varanda e vi a avó de Lorcan falando com ele. Ela lhe havia perguntado se ele estava se divertindo, provavelmente esperando um aceno de confirmação. Fiquei surpresa quando o ouvi dizer "Sim!". Foi algo bem baixinho, mas eu consegui ouvir. Progresso!

Capítulo 8

Nasce uma estrela

Uma noite, em maio de 2012, eu me virava e revirara na cama, sem conseguir dormir. Resolvi levantar e ficar um tempo no computador. Sou bem fã das redes sociais, então estava entre o Twitter e o Facebook e acabei entrando no site de uma instituição de gatos chamada Scratching Post (scratchingpost.co.uk) e um anúncio chamou minha atenção.

A instituição Cats Protection (cats.org.uk) que era conhecida até 1998 como Cats Protection League – estava à procura de candidatos para o prêmio Gato Nacional do Ano. Havia cinco categorias diferentes e eles queriam conhecer gatos que tivessem ajudado seus donos ou outros humanos, seja de maneira heroica ou por seu comportamento habitual. Quando vi a categoria Melhor Amigo, imediatamente pensei em Lorcan e em Jessi-cat, por isso escrevi um e-mail contando que Lorcan sofre de mutismo seletivo e o quanto Jess o ajuda.

Jess já era modelo. Em novembro, ela fora eleita a Representante Dreamies da região noroeste numa eleição na página do Facebook da empresa Treats for Cats, patrocinada pela empresa fabricante de petiscos Dreamies. Como prêmio, ela recebeu uma foto emoldurada e uma caixa cheia de brinquedos e petiscos para gatos. Além disso, sua foto fez parte do calendário de 2012.

Mas esta competição era muito mais do que apenas ser a garota do calendário.

No dia seguinte, li algumas das outras inscrições – todas narrativas muito elaboradas de gatos fazendo coisas maravilhosas. Havia um que espantara um ladrão, outra que livrara a dona de um coma diabético e um gato resgatado de apenas um olho que se tornara astro de cinema. Jess não tinha a mínima chance contra tais felinos fantásticos e cheguei à conclusão de que a Cats Protection preferiria um gato vira-lata a uma gata com pedigree.

Mesmo assim, após algumas semanas, recebi um telefonema de uma mulher da Cats Protection dizendo que adoraram a nossa história e que queriam saber mais detalhes. Jessi-cat seria apresentada aos jurados para ver se conseguiria chegar aos finalistas de sua categoria, e ela me perguntou se eu estaria disposta a participar de "uma boa quantidade de publicidade".

– Sim, sem problemas – respondi, sem parar para considerar o que ela queria dizer com aquilo.

– Estaria disposta a vir a Londres para a cerimônia de premiação se Jess for aprovada?

– Sim, claro que sim – respondi alegremente, sempre pensando que ela tinha uma chance em um milhão de chegar à final.

Logo depois disso, passamos alguns dias em Anglesey e nos divertimos muito juntos, por isso esqueci por completo do concurso. No regresso, no meio de junho, abri a caixa de entrada e vi um e-mail que dizia que eles vinham tentando entrar em contato comigo. Jess chegara à final!

Fiquei absolutamente surpresa, visto que não esperava que ela chegasse tão longe, mas a novidade foi emocionante.

A instituição preparou um material de publicidade e depois providenciou para que um fotógrafo viesse à nossa casa para tirar algumas fotos, além de uma equipe de filmagem para gravar Lorcan e a gata em ação, e uma entrevista comigo para o website. Marcamos a filmagem para a quarta-feira, 27 de junho, depois recebi um telefonema a respeito da visita do fotógrafo – ele não estaria disponível na quarta, mas poderia vir na sexta.

Como uma completa idiota, não li os e-mails com atenção e, como consequência desse telefonema, pensei que *tudo* tinha sido transferido para a sexta. Então, quando a quarta chegou, fui ao supermercado e depois saí para comprar tecido para forrar as cadeiras de jantar. Quando cheguei em casa, pendurei algumas cortinas e já estava para começar a cortar o tecido, quando resolvi parar para tomar um lanche.

Nesse momento notei que havia um grande 4x4 estacionado há bastante tempo perto de casa, mas continuei comendo e liguei o computador para verificar minhas mensagens. Quase morri quando a primeira surgiu na tela com o título "Filmagem de hoje". A equipe estivera esperando do lado de fora por todo aquele tempo e eu tinha meia hora para arrumar a bagunça que fizera, apanhar Lorcan na escola e me arrumar antes de estar diante das câmeras.

Corri para fora para falar com eles e explicar que pensei que eles viriam somente na sexta-feira. Felizmente, a equipe foi adorável e disse que eu não precisava me apressar, mas, àquela altura, eu já estava em total estado de pânico. Em retrospecto, vejo que a minha confusão na verdade foi uma benção, porque fiquei tão ocupada passando o aspirador de pó pela casa, empurrando as sacolas de compras no armário de qualquer jeito, procurando por Jessi e passando um batom rápido, que não sobrou tempo para eu ficar ansiosa.

Lorcan e Jessi gostaram muito da filmagem – e a equipe solicitamente trouxera doces para os meninos, o que, sem dúvida, ajudou muito. Jess ficou de um lado para o outro, cheirando as câmeras e esfregando a cabeça no equipamento. Lorcan ficou calado, mas esteve muito sorridente e evidentemente adorou exibir Jess.

Fascinado com a tecnologia interessante, como sempre, ele remexeu em várias partes dos equipamentos, e o muito paciente cameraman permitiu que Lorcan ligasse e desligasse o aparelho.

Ele também pediu que Lorcan levantasse o polegar se eu me saísse bem na entrevista. Ele adorou isso.

Dois dias mais tarde, foi a vez do fotógrafo. Jessi fez lindas poses para as fotos e Lorcan lançou sorrisos radiantes para ele, parecendo gostar da experiência. Lorcan pegou uma das lentes da câmera e quase provocou um ataque cardíaco no fotógrafo.

– Devolva isso, Lorcan – pedi. – Isso deve custar umas cinco mil libras!

O fotógrafo, que estava um tanto pálido, recebeu agradecido e guardou seu material em segurança.

Em julho, a ITV Granada (que costumava se chamar Granada Television) viu a matéria e também quis nos filmar. Fiquei aterrorizada. A filmagem para a Cats Protection já fora bem estressante, mas essa outra sairia na TV para toda a família, os amigos e os vizinhos assistirem.

Apesar do meu nervosismo, concordei em fazer e recebi um telefonema do apresentador da Granada, Paul Crone, que viria para filmar conosco. Paul trabalha na Granada desde 1984, e por mais de vinte anos tem sido um dos rostos mais conhecidos da empresa. Durante esse período, ele conseguiu angariar mais de meio milhão de libras para várias campanhas beneficentes.

Preocupei-me que a visita de Paul pudesse deixar Lorcan ansioso, mas eu não precisava ter me preocupado: ele se divertiu muito. Paul leva tanto jeito com crianças que relaxou Lorcan e imediatamente o deixou à vontade, conversando com ele. Lorcan não falou com o apresentador, mas ajudou no trabalho de câmera e surrupiou descaradamente um dos chaveiros de Paul sem que notássemos.

Lorcan foi filmado acariciando Jess e brincando com ela no chão, e Paul o fez rir como um doido, fazendo cócegas em seus pés, dizendo que eles estavam "fedidos". Lorcan adora futebol e Paul foi bater bola com ele no jardim. Quando ele disse: "Jogue a bola em mim", Lorcan fez exatamente isso – deu um belo chute, direto em sua cabeça. Duas vezes!

Na segunda-feira anterior à premiação, nos pediram que concedêssemos uma entrevista para a Rádio BBC de Manchester no programa de Becky Want. A gata foi conosco, mas não quis participar miando ao vivo. Lorcan ficou igualmente mudo, mas se deliciou fazendo caretas para mim na tentativa de me fazer rir durante a entrevista, bem como rangendo a cadeira bem alto; com isso, pelo menos, ele fez a sua presença ser notada.

Disseram-nos que a premiação de Gato do Ano aconteceria em Londres, no Hotel Savoy, em 16 de agosto. No grande dia, Lorcan e eu nos levantamos cedo e nos preparamos com tempo de sobra. Acho que Luke gostaria de ter ido, mas é muito compreensível no que se refere a Lorcan e entendeu que a cerimônia de premiação era a vez do irmão estar em evidência, por isso não disse nada a respeito de nos acompanhar. Luke teria o seu momento de glória no dia seguinte, quando levei os dois para o estúdio de TV para uma entrevista e ele teve a chance de falar para a câmera.

Tínhamos reservas para o trem das nove da manhã e pegamos as passagens na estação Manchester Piccadilly, e tudo saiu conforme planejado. Levei meu iPad para que Lorcan se mantivesse ocupado na viagem, jogando. Quando chegamos a Londres, eu mal podia esperar pela refeição do Savoy, mas Lorcan é tão chato para comer que eu sabia que ele mal tocaria na comida, por isso, na Estação Euton, comprei um lanche no Burger King para ele, depois apanhamos um táxi e seguimos direto para o hotel. Tínhamos que chegar lá às 12h30 e fomos pontualíssimos.

O hotel é lindo. Tinham nos informado para pegarmos a entrada do rio Tâmisa, então não tivemos que abrir caminho no saguão e restaurantes. Havia uma pessoa na porta para nos receber; eles nos entregaram um programa e nos conduziram ao andar de cima para pegarmos nossos crachás. Em seguida, passamos por uma linda recepção com paredes vermelhas e creme, candelabros dourados e carpetes fofos. Havia grupos de pessoas de pé, conversando, e garçons carregando bandejas com champanhe e vinho.

Uma placa imensa na lateral da sala proclamava: "Conheça os Finalistas" e embaixo do título estavam fotos ampliadas de todos os gatos e de seus donos. Lorcan ficou radiante quando viu a foto de Jess, com um resumo a respeito do relacionamento deles. O presidente da Cats Protection, Peter Hepburn, aproximou-se e se apresentou para nós e conversamos antes de ele circular entre os outros donos.

Também encontramos as mulheres que administram o Scratching Post, o site onde vimos o anúncio inicial para a inscrição do concurso. Elas foram muito amáveis e amigáveis. Uma fotógrafa estava por perto tirando fotos de todos e um descarado Lorcan se escondeu atrás da cortina, espiando por detrás para ela.

Depois de meia hora de conversa, descemos até um grande salão, onde mesas foram dispostas para o almoço com toalhas brancas imaculadas e talheres de prata, e havia um palco montado numa das pontas. Tudo estava absolutamente lindo, muito grandioso. Lorcan, sendo Lorcan, fez face à situação sem se impressionar com nada. Se tivesse sido Luke, ele teria pulado de cima a baixo de tanta animação, e eu pensei o quanto aquela ocasião era maravilhosa. A comida estava excelente, uma refeição de três pratos deliciosa, mas, como previsto, Lorcan não comeu nada – a não ser a sobremesa, que era sorvete.

Não conhecíamos ninguém em nossa mesa, mas conversei animada com os outros convidados, particularmente um homem muito simpático que disse:

– Acho que vocês vão ganhar esta.

Claro que respondi:

– Imagine...

Em seguida ele se virou para Lorcan e perguntou:

– O que você está bebendo?

Muito, mas muito baixinho, ele respondeu:

– Suco de maçã.

Fiquei surpresa por Lorcan ter falado com um completo desconhecido, pois ele normalmente teria sorrido e ficado calado. Foi maravilhoso ouvir aquilo, mas eu estava tão ansiosa que só pensava: "Ai, meu Deus! E se eu tiver que dizer alguma coisa?".

Sendo bem sincera, por esse motivo o restante da cerimônia não passou de um borrão para mim. Eu estava tão agitada e nervosa para o caso de ter que subir no palco, preocupada com a possibilidade de ter que falar, que acabei achando tudo muito estressante.

O comediante Ed Byrne, a jornalista Jan Leeming e a modelo Lucy Pinder estavam entre os apresentadores, e o mestre de cerimônias foi Alan Dedicoat, o famoso locutor de *Dançando com as Estrelas*[7] e da *Loteria Nacional*, por isso sua voz é mais conhecida que seu rosto.

A primeira categoria a ser anunciada foi a nossa, a de Melhor Amigo. Alan disse para a plateia que o gongo era para "aqueles animais que demonstraram um vínculo notável com seus donos". E acrescentou: "Gatos têm a habilidade incrível, como bem sabemos, de ajudar as pessoas, seja para aumentar a confiança delas, a se recuperar de uma doença ou simplesmente aplacando a solidão e a depressão".

Em seguida, apresentou Rick Wakeman, que caminhou pelo palco e começou a falar sobre o vencedor. Enquanto ouvia, pensei: "Ai, ai... Podemos ser nós". Mas ainda foi uma surpresa quando ele anunciou:

– Senhoras e senhores, a vencedora é Jessi-cat.

Enquanto a foto de Jess aparecia no telão atrás dele, houve um "ahhh" audível de todos os amantes de gatos na plateia.

Rick continuou com o discurso sobre Jess e sua declaração sobre o impacto dessa criatura em nossas vidas foi um tiro certeiro:

– Os três gatos foram de grande apoio aos seus donos, mas Jessi-cat é a vencedora – explicou ele. – A ligação entre Jessi-cat e Lorcan é incrível e é evidente que teve um impacto imensamen-

7 Na versão britânica se chama *Strictly Come Dancing*. (N.T.)

te positivo na vida escolar e domiciliar de Lorcan. Jessi-cat ajuda Lorcan a se comunicar e a expressar emoções que normalmente ele não seria capaz de exprimir.

A reação de Lorcan foi bem tranquila. Ele não saiu saltitando, nem emitiu som algum: apenas se levantou, ajeitou a mochila nas costas e me seguiu até o palco. Não entendi por que ele sentiu a necessidade de pegar a mochila – ou ela o fazia se sentir mais seguro em uma situação incomum, como ao carregar um bichinho de pelúcia predileto, ou ele pensou que aquilo fosse o fim e que iríamos direto para casa depois de receber o prêmio.

Quando chegamos ao palco, eu tremia como uma vara verde. Lorcan estava absolutamente controlado. Rick me entregou o pesado troféu de vidro, e eu perguntei:

– Preciso dizer alguma coisa?

– Não, está tudo bem – ele respondeu, sorrindo, o que me acalmou um pouco.

Não tínhamos que falar, o que foi um imenso alívio, já que eu estava aterrorizada. Lorcan parecia estar bem feliz, posando para fotos comigo e com Rick, a mochila firme nas costas e sorrindo amplamente para todos.

Depois que voltamos para a nossa mesa, Lucy Pinder anunciou o prêmio de Bravura para uma gata chamada Charley, que deu o alarme quando sua dona diabética caíra desmaiada no meio da noite. Em seguida, Ed Byrne apresentou o prêmio de História Mais Incrível para um gatinho vira-lata que sobrevivera a um horrendo ataque de cachorro e perdera uma perna. Depois veio Jan Leeming, que apresentou o prêmio de Resgate Felino Extraordinário para o dono de Phoenix, que sofrera queimaduras horrendas quando era filhote e sobrevivera.

Durante o discurso longo e eloquente de Jan, notei um homem sorrindo em nossa direção. Olhei ao redor e vi meu filho fazendo caretas horríveis para a jornalista. Obviamente ele estava começando a ficar inquieto.

Depois que o prêmio de Gato Celebridade foi entregue para Simon Tofield, devido ao seu desenho animado *Simon's Cat*, que aparece numa série de mesmo nome, chegou a vez do maior vencedor.

O presidente Peter Hepburn anunciou:

– O Gato do Ano deste ano é... – houve uma longa pausa – Jessi-cat!

Então ele deu vivas e nos pediu para voltar ao palco. Fiquei pasma. Já tinha sido um belo choque receber o primeiro prêmio e, quando eles anunciaram Jessi-cat para o prêmio final, não conseguíamos acreditar.

Dessa vez, Lorcan foi um pouco mais corajoso e disparou na minha frente, e pegou o troféu de vidro em formato de estrela que lhe foi oferecido. Ele ficou no palco, sorrindo para as fotos.

Terminada a cerimônia, fomos conduzidos para uma sala para que tirassem fotos nossas com os troféus e com os apresentadores, e eu fui entrevistada por uma câmera. Lorcan se comportou como um modelo, posando e sorrindo quando necessário. De minha parte não consegui deixar de pensar que parecia um tanto irreal e bem estranho nos encontrarmos naquela situação por causa de uma gata, mas foi fantástico para Lorcan, porque ele ama Jess e aquele foi um grande dia para ele.

Depois da cerimônia, Simon Tofield e sua esposa, Zoe, aproximaram-se para nos parabenizar e se sentaram ao nosso lado por um tempo. Simon foi muito gentil com Lorcan e fez para ele um desenho de seu gato famoso, o que foi incrível, e depois o autografou. Ele perguntou quando é o aniversário de Lorcan e disse que um livro seu estava para ser lançado em setembro. Depois Zoe anotou nosso endereço. No mês seguinte, um belo cartão desenhado a mão chegou para o aniversário de Lorcan com um lindo retrato de Jess, da parte de Simon e de Zoe. Lorcan ficou extasiado! Ele me fez cobri-lo com plástico adesivo.

Algumas semanas mais tarde, o livro novo chegou para Lorcan com um desenho feito por Simon de *Simon's Cat* e de Jess, também autografado. Lorcan adora esse livro. Ele o olha muitas vezes e sempre encontra algo novo para ver; ri histericamente com alguns desenhos e se diverte muito.

O trem de volta para casa foi bem no horário de pico e muito, mas muito caro, porém eu exagerei e reservei a primeira classe, pois imaginei que, se Lorcan estivesse cansado, haveria um pouco mais de espaço. Estávamos bem sobrecarregados porque recebemos montanhas de presentes. Havia os dois troféus imensos, que foram acomodados em caixas, uma foto emoldurada de Jess, uma grande caixa de flores, montanhas de brinquedos para gatos e três meses de suprimento de areia para gatos do patrocinador da cerimônia, Verdo, além de ração para gatos. Eu também estava com a minha bolsa grande, contendo uma blusa, o iPad e lanches para Lorcan, então estávamos com os braços carregados. Lorcan carregou duas sacolinhas da Cats Protection e as minhas flores pela estação, e quando chegamos lá, subimos as escadas até a sala de espera da primeira classe, para podermos nos sentar em algum lugar. Não havia lugar vago na parte em que se pode conversar, então nos acomodamos na zona silenciosa. Tendo ficado quieto o dia inteiro, Lorcan estava morrendo de vontade de sair correndo e fazer barulho, e eu tive que continuar pedindo para que ele ficasse quieto. No fim, acabei desistindo e saímos para fora da estação. O dia estava lindo, então Lorcan ficou correndo até chegar a hora de pegar o trem.

Àquela altura já eram sete da noite de quinta-feira, então o trem estava tomado de homens e mulheres de negócios. Acabamos conversando com um homem muito simpático sentado ao nosso lado e ele nos perguntou tudo sobre a premiação e Lorcan falava comigo, muito contente, mas não respondeu ao camarada diretamente.

Quando chegamos em casa já era bem tarde – passava das dez da noite –, então só tivemos tempo para um banho rápido e fomos direto para a cama. Mas antes, evidentemente, Lorcan teve que contar a Jessi-cat que ela ganhara. Ele deu a notícia de maneira bem direta, mas postou o rosto bem diante do dela e com um amplo sorriso, disse:

– Você venceu, Jessi. Você venceu.

Depois acomodou os dois troféus e todos os presentes que recebemos ao redor dela sobre a mesa onde estava sentada, e lhe mostrou seus brinquedinhos.

Refletindo sobre aquele dia especial, vejo que parece ressaltar outro marco crucial para Lorcan. Desde então, passei a acreditar que os prêmios, a viagem a Londres e o trajeto de trem devem ter tido um impacto positivo, e o instante em que Lorcan respondeu baixinho ao homem que lhe perguntara o que ele estava bebendo fica sempre voltando à minha memória. As coisas parecem ter melhorado constantemente desde então. Não sei quem ele era – ele podia ser alguém famoso, até onde sei –, mas estou muito feliz por termos conversado com ele naquele dia!

Capítulo 9

Fama felina

Enquanto voltávamos de trem da cerimônia de premiação, recebi um telefonema da BBC, perguntando se gostaríamos de aparecer no programa *Breakfast* na manhã seguinte. Já havíamos marcado uma entrevista na Rádio BBC 5, mas como os dois ficam em Media City, em Salford, não haveria conflito, por isso concordei de bom grado. Perguntaram se eu poderia levar Jess, então respondi que poderia, mas que precisaria de um local em que pudesse deixá-la fora da caixa de transporte, visto que ficaríamos lá por algum tempo.

Como estávamos nas férias de verão e eu já havia deixado Luke para trás no dia anterior, quando fomos a Londres, insisti para que me deixassem levá-lo comigo nas entrevistas. Pensei que ele poderia gostar da experiência, mas não foi só por isso que eu quis ele conosco. Ou Lorcan é um anjo ou um verdadeiro terror, e Luke costuma distraí-lo quando ele está querendo aprontar.

Tivemos que acordar de madrugada para chegarmos ao chamado MediaCityUK – um empreendimento gigantesco em Salford onde a BBC, entre outras, tem algumas de suas operações – às 7h30 na manhã seguinte. Depois de nossa jornada em Londres e de termos ido dormir muito tarde, foi uma briga tirar Lorcan da cama. Por fim, conseguimos arrastá-lo para fora, vesti-lo, colocar Jess na caixa de transporte e partir. Ainda bem que tenho uma boa cabeleireira, pois não houve tempo para eu lavar os cabelos e, graças a ela, eles ainda estavam com a boa aparência de quando ela os arrumara dois dias antes.

Dave nos levou de carro para o MediaCityUK, mas acabamos nos perdendo um pouco e chegamos um pouquinho atrasados. Chegamos bem em cima da hora do programa de rádio, mas conseguimos e o produtor nos mandou diretamente assim que chegamos. Os dois meninos se sentaram diante de microfones com fones de ouvido, o que foi uma experiência e tanto para eles. Lorcan não falou durante a entrevista e, quando ela terminou, deixaram-nos ficar ali mais um tempo, enquanto alguém lia o noticiário e outro repórter dava as notícias esportivas. Foi uma oportunidade fantástica para os meninos verem como uma estação de rádio funciona e os dois pareceram se divertir muito.

Depois do noticiário, fomos levados para a sala verde para esperar pela nossa vez no *Breakfast*. Conferimos se a porta estava fechada antes de soltar Jess da caixa de transporte para ela poder passear um pouco.

A sala era decorada com poltronas confortáveis e uma TV, de onde podíamos assistir ao programa ao vivo, vindo do estúdio ao lado. Sobre uma mesa no meio da sala havia chá e café, além de frutas e croissants, então os meninos tomaram o café da manhã enquanto Jess explorava o ambiente. Ela conseguiu subir no parapeito de uma janela alta e ficou bem contente em observar a vista. Na maior parte do tempo, ficamos a sós na sala verde, embora algumas pessoas entrassem e ficassem um pouco por lá. Ninguém se importou com o fato de Jess estar solta, pareceram gostar dela. Um homem até perguntou se poderia tirar uma foto, porque a namorada amava gatos e ele a achou muito linda.

Apesar da incrível fartura, não consegui comer, pois estava bem nervosa com a entrevista. Nunca antes estive num estúdio de TV e eu o imaginei cheio de dúzias de pessoas.

Em comparação com seu silêncio no estúdio, Lorcan tagarelou direto, sem parar nem quando algumas pessoas que ele não conhecia entraram. Quando Jess se aventurou na direção da porta a certa altura, ele sorriu ameaçadoramente na minha direção e apoiou a mão na maçaneta, como se fosse deixá-la sair. O danadinho me ouvira dizer que precisávamos vigiá-la para que ela não escapulisse quando alguém abrisse a porta, ou ela seria capaz de sair correndo pelos estúdios.

Depois de um tempo, levaram-nos para a maquiagem e, por isso, voltamos a acomodar Jess na caixa. Lorcan teve que se sentar numa cadeira e lhe passaram um pincel no rosto, mas, estranho, ele não se opôs. Não era para Luke nos acompanhar, por isso não passaram maquiagem nele.

Quando terminaram de nos maquiar, fomos levados a umas cadeiras do lado de fora do estúdio, pois seríamos os próximos. Meus nervos estavam em frangalhos àquela altura, e Lorcan estava muito calado. Ele sussurrou algo para Luke, mas não chegaram a conversar.

Quando nos chamaram, fomos em frente. Tirei Jess da caixa e a levei no colo, insisti para que Luke entrasse para assistir porque não queria deixá-lo na sala verde. Não consegui acreditar como o estúdio era pequeno. Só havia um grande sofá vermelho onde os apresentadores, Charlie Stayt e Louise Minchin, se sentavam, um cameraman e o produtor. Charlie e Louise acenaram para que nos aproximássemos, e Lorcan e eu nos sentamos. Charlie viu Luke perto da porta e disse:

– Quem está aí? Venha até aqui.

Com isso, Luke também se juntou a nós no sofá. Considerei isso uma gentileza da parte dele e fantástico para Luke, que é um menino maravilhoso, altruísta, que frequentemente coloca as necessidades de Lorcan à frente de suas próprias, por isso foi ótimo que ele participasse.

No início da entrevista, eu falava e, ao mesmo tempo, tentava segurar Jess, que tentava sair do sofá, além de ficar de olho em Lorcan, que se mostrara um pouco agitado depois de termos ficado aquele tempo na sala verde. Não foi um começo de entrevista dos mais relaxados.

Charlie perguntou a Luke que diferença a gata fizera para o irmão e, por ele estar absolutamente despreparado, pois não sabia que teria que falar, ele respondeu de maneira bem natural.

Ele disse:

– Ele fala mais com a professora do que costumava falar e também fala mais com os amigos.

Definitivamente, ele estaria mais nervoso se o tivessem avisado antecipadamente de que lhe fariam uma pergunta, mas ele se saiu muito bem, falando claramente.

Charlie então perguntou a Lorcan com se fala com um gato, mas Lorcan não falou. Ele apenas se inclinou, levando a boca até a orelha de Jess, como se estivesse sussurrando para ela, embora não seja assim que ele fale com ela em casa. Ele ficou olhando para uma imensa foto dele e de Jessi em uma das telas do estúdio e percebemos que ele fazia isso quando assistimos ao vídeo mais tarde. Charlie foi muito gentil enquanto tentava fazer Lorcan falar e mencionou que o ouvira conversando pouco antes, mas eu sabia que ele não responderia, porque ele parou de falar assim que saímos da sala verde.

Depois da entrevista, ficamos conversando com Louise e Charlie por alguns minutos. Eles deram uma bela olhada em Jess e foram adoráveis, mas, ainda assim, Lorcan não falou com eles.

Não sei bem se Jess gostou do seu momento de fama, mas acho que sim. Ela me deu uma mordidinha enquanto estávamos no sofá, o que ela costuma fazer de todo modo, e me lambeu em seguida. Isso é conhecido como a beliscada birmanesa. Não dói e nunca deixa marcas, e é considerado por muitos como uma demonstração de afeto.

Levando em conta toda a situação, tudo correu muito bem.

Depois que saímos do estúdio, fomos para fora para colocar Jessi de volta em sua caixa de transporte e eu notei o ex-goleiro Peter Schmeichel – conhecido principalmente pelos seus anos no Manchester United – vindo em nossa direção, por isso eu o mostrei aos meninos, que ficaram contentíssimos.

Estávamos liberados para ir, e quando entramos no táxi, soltei um imenso suspiro de alívio. Os meninos ficaram conversando sobre as entrevistas no rádio e na TV depois. Luke disse que havia sido "impressionante" e Lorcan disse: "foi o meu melhor dia. A não ser pelo dia em que Jess ganhou o prêmio dela!".

Perguntei a Lorcan se ele gostaria de voltar à TV um dia. Ele disse que absolutamente sim.

Foi uma experiência enervante, mas valeu a pena para conscientizar mais pessoas a respeito do mutismo seletivo. Muitos nunca ouviram falar disso e, depois do programa, uma mulher procurou a página do Facebook sobre mutismo seletivo e escreveu:

–Vi aquele garotinho e pensei: esse é meu filho. Acho que o meu menino sofre de mutismo seletivo.

Foi bom saber que nós a ajudamos, e talvez a outros ao longo do caminho.

Depois da premiação e das entrevistas, a fama de Jessi se espalhou. Ela chegou a aparecer numa revista na Espanha e, com toda a publicidade que conseguimos, o vídeo da Cats Protection se mostrou incrivelmente popular na Internet, com mais de 130 mil visualizações.

Decidi criar uma conta no Twitter para Jess. Na época em que o livro estava sendo escrito, ela já tinha mais de mil seguidores, e ela tuíta a respeito de suas aventuras e faz todo tipo de comentário felino. Ela também tuíta lindas fotos suas, que os amantes de gatos adoram ver, e, às vezes, seus amigos peludos também tuítam fotos deles. Porém também há um lado sério na coisa. Ao mesmo tempo que entretém, o Twitter possibilita outra plataforma de apoio à causa do autismo e do mutismo seletivo.

A vitória de Jess foi narrada em jornais e também em algumas revistas sobre gatos. Alguns dias mais tarde, fui contatada pelo Clube dos Gatos Birmaneses, que depois fizeram de Lorcan um membro honorário. Eles pediram se podíamos escrever um artigo a respeito do Prêmio de Gato do Ano para eles, então Adam escreveu uma dissertação, que foi publicada na revista de inverno, e que você pode ler no apêndice deste livro.

O título foi "Fama para Jessi-cat e Lorcan", e foi um artigo muito bem escrito, sobre o mutismo de Lorcan e como o seu amor por Jess melhorou sua vida, tanto em casa quanto na escola. Ele escreveu: "Lorcan está progredindo imensamente e mostrando que, com a ajuda correta, as crianças com mutismo seletivo podem se sobressair e até, possivelmente, superar suas ansiedades no fim".

Ele terminou o artigo com um tributo emocionado para a mascote da família: "Jessi-cat mostra o quanto um gato pode mudar a vida de uma pessoa – não importando a idade dos dois".

Junto ao artigo, a revista colocou uma carta adorável da criadora de Jess, Janet. Ela escreveu: "Jessi encontrou um lar maravilhoso e, se você ler todas as reportagens, ela encontrou um companheiro eterno em Lorcan. Esse garoto especial obviamente conquistou o amor e o respeito dessa birmanesa".

Em setembro de 2012, Luke deixou a escola primária para ir para a secundária. Como muitos pais sabem, escolher a escola secundária correta para seu filho é muito estressante e o que quer que você decida pode afetar o resto da vida dele. Quando foi a vez de Luke, consideramos as escolas locais inadequadas, por um ou outro motivo, mas visitamos a Academia Knutsford, a pouco menos de 50 quilômetros, e adoramos tudo lá.

Além de estar aflita por Luke, eu estava verdadeiramente preocupada com a repercussão que a sua transferência poderia ter no irmão. Minha maior preocupação era de que, se alguém fosse maldoso com Lorcan, ele sempre poderia contar a Luke, e eu achava que ele teria menos chances de ser importunado na escola contanto que tivesse um irmão mais velho ali. Mas ele contava com George e os outros garotos da sala e, até aqui, não houve nenhum problema com bullying. A escola é minúscula, com salas pequenas, e cerca duzentos alunos em toda a instituição, por isso tem se mostrado um ambiente favorável para Lorcan.

Depois da cerimônia de premiação, a fala de Lorcan continuou a melhorar. Em fevereiro, nos consultamos novamente com o doutor John, o pediatra que lida com autismo em nossa região. Por estar preocupado com a possibilidade de Asperger, ele avisou ao CAMHS que talvez eles tivessem que procurar fora da região se as necessidades de Lorcan não fossem atendidas em Trafford. Isso nos levou a uma especialista em autismo, Mali Rashidi, que também é fonoaudióloga. O doutor John quis a opinião de Mali porque sua especialidade no assunto significava que ela procuraria por sinais diferentes que poderiam ser sutis demais para outros profissionais detectarem.

Em julho, Mali foi até a escola para observar Lorcan e, um mês mais tarde, durante as férias de verão, ela me procurou em casa, enquanto as crianças estavam fora. Ela foi bem abrangente, fazendo-me muitas perguntas sobre quando ele era bebê, o que ele costumava fazer e como se comportava e falava. Ela disse que acreditava ser Asperger, mas também acreditava que ele estava lidando bem com isso no dia a dia porque nós, a família, já tínhamos passado por isso antes e aprendemos a adaptar nosso comportamento.

Como pai ou mãe, você sabe que seu filho não está sendo mal educado propositadamente, que ele não consegue evitar se comportar de certo modo, por isso ele não é tratado aos gritos.

Ela acreditava que Lorcan estava indo bem por causa do modo como lidávamos com a situação, o que foi muito bom ouvir.

Dave merece muitos dos créditos por isso porque é muito despreocupado e aceita as coisas como elas são. Embora Adam não seja seu filho biológico, ele sempre o tratou como se fosse, e tem a personalidade certa para lidar com os três garotos. Nós dois temos a tendência de seguir em frente e lidar com os problemas, mas, caso fôssemos pessoas diferentes, com um temperamento menos equilibrado, teria sido difícil, porque, às vezes, parece mesmo que Lorcan está sendo mal educado. Sei que não está, porque sei o que está se passando na cabecinha dele e que existe algo que ele não compreendeu bem, e sei que ele se frustra quando não entende o que está acontecendo.

Felizmente, Dave é gentil e controlado, tranquilo e relaxado, então, apenas seguimos em frente e tudo fica bem.

Mali também sugeriu que o mutismo seletivo seja "comórbido", ou, em termos leigos, exista junto da Síndrome de Asperger, mas não esteja necessariamente ligado a ela. Como resultado de sua avaliação, conseguimos uma consulta com um psiquiatra infantil do CAMHS em outubro.

Antes de irmos, o doutor Sharma, psiquiatra, me telefonou e pediu que eu fosse sem levar Lorcan, o que achei estranho. Depois perguntou:

– Seu marido também vem?

Como não tinha pensado nisso, apenas disse:

– Ele não pode, vai estar trabalhando.

Mas algo em sua pergunta fez soar um alarme, por isso, quando falei com minha mãe, ela se dispôs a me acompanhar.

Mali Rashidi estava com o doutor Sharma quando nos fizeram entrar no consultório. Primeiro repassamos vários aspectos para verificar se Lorcan apresentava sinais de transtorno obsessivo-compulsivo, e eles concluíram que não. Sempre imaginamos se esse não seria o caso, pois ele gosta que as coisas sejam feitas de determinadas maneiras e tem a tendência a desenvolver obsessões.

Sua mania mais recente é a dupla de comediantes Ant e Dec. Ele é um verdadeiro fã. Grava todos os episódios do programa deles, *Saturday Night Takeaway*, e os assiste repetidamente. Ele gosta especialmente da parte do programa chamada 'The End of the Show Show' (O Programa do Fim do Programa, em tradução livre), no qual Ant e Dec se apresentam com um convidado especial no fim de cada episódio. Lorcan gosta principalmente daquele em que Ant e Dec cantam "Let's Get Ready to Rhumble". Ele até me pediu para responder a uma pesquisa do YouGov a respeito da dupla e, quando pediram três palavras para descrever o programa, ele imediatamente escolheu: 'legal', 'incrível' e 'épico'. Ele também disse que era 'engenhoso'.

É maravilhoso vê-lo assistir ao programa. Ele se concentra no que está passando e dá altas risadas. Ele também pausa a TV e rebobina se vê Ant e Dec, mesmo que seja num comercial. Recentemente, ele comprou uma máscara de papelão do Dec, o que aterroriza a cadela, mas Lorcan adora. Ele a deixa na janela do quarto, de frente para a rua à noite, o que deve parecer um tanto arrepiante para os vizinhos.

De qualquer forma, o fato de ele não ter TOC foi um alívio. Em seguida, eles explicaram o motivo de pedirem que Lorcan não fosse à consulta. Disseram que existe um teste chamado ADOS (Autism Diagnostic Observation Schedule; Protocolo de Observação para o Diagnóstico do Autismo, em português), no qual brincam com as crianças usando jogos e instigando a comunicação. Eles procuram por certas reações ante o que dizem e fazem, mas o doutor Sharma disse que eles obteriam um falso resultado por causa do mutismo seletivo.

Em vez disso, então, assistiram ao vídeo da entrevista no *Breakfast* da BBC e ouviram as minhas preocupações. Em seguida me deram um diagnóstico. Meu lindo menininho é portador da Síndrome de Asperger.

Devido ao fato de eu ter outro filho com Asperger, eu, obviamente, já sabia disso, bem no fundo, há vários anos. Mas, como mãe, tendo visto as coisas terríveis pelas quais Adam passou, imagino que uma parte minha desejava estar errada. Também por Adam ter sido diagnosticado tão tardiamente, eu imaginei que Lorcan faria parte do sistema por anos, possivelmente conseguindo um diagnóstico aos quinze anos ou mais.

Quando as minhas piores suspeitas foram confirmadas, precisei de um minuto para absorver a notícia, depois me descontrolei e comecei a chorar. Fiquei arrasada. Chorei pelo futuro de Lorcan, pela ignorância que ele possivelmente enfrentará, pelas lutas que sei que teremos pela frente. Ele é meu menininho. Um danadinho travesso, sorridente e lindo. Pensei em todos os problemas que ele pode enfrentar na escola secundária e pelo resto da vida, e senti como se alguém tivesse me roubado o ar. Eu lutara por Adam, e agora tinha que voltar a lutar.

Depois disso, a única coisa da qual me lembro de ter perguntado foi:

– Quando conto para ele?

Eles disseram que o ideal é que as crianças tomem ciência na época em que vão para a escola secundária. Em seguida, recebemos um envelope com informações da Sociedade Nacional de Autismo e saímos.

Fiquei muito feliz por minha mãe estar comigo, pois precisei de seu amor e apoio naquele instante. Depois que saímos do consultório, virei-me para minha mãe e perguntei:

– O que eles disseram?

Meu estado de choque era tamanho que não me lembrava se eles tinham dito Asperger ou autismo. Lembro-me de ter pensado: "Ai, meu Deus! Eles me deram um diagnóstico. Mas não sei qual é esse diagnóstico".

Isso não deveria ter me chocado tanto. Porém, por mais que você saiba de algo por anos, até que se torne oficial, sempre há uma esperança, bem no fundo, de que você esteja errada, que ele não tenha autismo e que tudo vá ficar ótimo.

Até aquele momento, haviam coisas das quais eu tinha conhecimento e, por mais que não as tivesse ignorado, eu, de fato, não lidei com elas até o diagnóstico.

Fiquei abatida por uns cinco minutos. Foi uma reação momentânea. No início, não houve nenhuma sensação de alívio, contudo, ela apareceu mais tarde, quando pensei: "Muito bem, tenho um trabalho a fazer. Então vou fazê-lo".

Tendo presenciado o que Adam passou, eu não permitiria que o mesmo acontecesse com outro filho meu e, por causa dele, a escola tem me levado a sério mais ou menos desde o começo. Adam sempre foi um dos mais brilhantes, um aluno modelo, inteligente e muito confiante – até teve poemas publicados na escola primária. Não obstante, eles o observaram atravessar um período difícil, e os problemas que enfrentou, por isso, eles sabem que eu sei do que estou falando e me dão ouvidos quando falo com eles.

A não ser por aquele momento no consultório do doutor Sharma, não derramei mais nenhuma lágrima por conta da condição de Lorcan, porque preciso ter a mente clara para lidar com isso. Não tenho um emprego, mas eu trabalho, porque o dia inteiro a minha mesa tem papéis espalhados sobre o tampo, e sempre há alguém com quem preciso entrar em contato, ou algo que preciso que alguém faça. Ficar sentindo pena de mim mesma não vai ajudar. São meus filhos e eu tenho que lutar para que eles tenham a melhor vida que podem ter. Esse é o meu trabalho.

Quando Dave chegou do trabalho aquela noite e lhe contei o que Mali e o doutor Sharma disseram, ele disse que sempre acreditou que fosse isso mesmo. Adam havia notado os sinais de Asperger quando Lorcan era pequeno, por isso também não ficou surpreso. Então, tive que contar para Luke. Acomodei-o e expliquei de maneira bem simples o que era a Síndrome de Asperger e lhe mostrei alguns desenhos que a explicavam. Ele ouviu tudo e entendeu muito rapidamente.

– Também posso ser portador? – perguntou ele. – Já que os meus irmãos são?

Garanti que tínhamos quase certeza de que ele não era, e lhe mostramos um vídeo no YouTube, explicando de maneira simples o que era a Síndrome de Asperger.

Eu não tinha me decidido sobre quando contar a Lorcan. Eu queria esperar até receber a carta de confirmação do diagnóstico, mas eu não fazia ideia de que isso levaria meses. Como mãe, senti a necessidade de ter um pedaço de papel para começar a aceitar o diagnóstico, por isso é muito importante que essas cartas sejam enviadas com presteza aos pais. Lembro-me de perguntar a minha mãe seguidamente se eles tinham mesmo dado um diagnóstico definitivo, porque eu sentia que, sem esse pedaço de papel, não havia provas, e que talvez tivéssemos ouvido mal. Além disso, eu precisava contar para Lorcan, mas não conseguiria até ter o diagnóstico escrito preto no branco.

Recebemos o diagnóstico em outubro, mas a carta chegou uns três meses depois. Nesse meio tempo, telefonei inúmeras vezes ao CAMHS para perguntar onde ela estava; cheguei ao ponto de ser reconhecida ao telefonar. Depois de semanas após semanas disso, eu começava a ficar verdadeiramente aborrecida. Após um telefonema, desliguei o aparelho e comecei a escrever uma carta de reclamação mordaz, quando o telefone tocou. Era uma moça muito prestativa da Sociedade Nacional de Autismo. Expliquei a ela o que estava acontecendo, ela ligou para o CAMHS e, veja só, a carta chegou em poucos dias.

Lembro-me de ter assistido, há vários anos, a um programa sobre um menino portador de Asperger. Ele disse que sempre soube ser diferente, mas que não sabia por quê. Eu não queria que Lorcan se sentisse assim e não queria que ele soubesse só quando fosse mais velho e que isso fosse um grande choque. Também não queria forçar o assunto, mas eu sabia que, quando a oportunidade certa surgisse, eu lhe contaria o que os médicos disseram.

No fim, acabei ficando muito ansiosa quanto a isso, e continuei postergando o assunto, pois não sabia como ele reagiria. Então o momento oportuno surgiu.

Estávamos lendo juntos e começamos a falar de como algumas pessoas são "diferentes". Meu coração começou a bater forte, mas segui o rumo da conversa, sabendo que a hora chegara. Lorcan estava falando de pessoas como o colega de Harry Potter, Neville Longbottom, que, como Harry, é aluno da Grifinória em Hogwarts e é diferente dos outros meninos; e eu também expliquei como não devemos apontar para as pessoas na rua e fazer comentários em voz alta. Lorcan concordou e disse:

– Algumas pessoas cutucam o nariz e outras pessoas têm cabelos engraçados.

Expliquei brevemente o que é a Síndrome de Asperger. Ele pensou um pouco e disse:

– Sou feliz assim – o que me deixou com um nó na garganta.

Fiz questão de contar sobre pessoas famosas portadoras de Asperger, como o cofundador da Microsoft, Bill Gates, e o matemático e físico do século XVII, Isaac Newton, e acho que isso o distraiu.

Adam lhe deu um livro intitulado *All Cats Have Asperger Syndrome* de Kathy Hoopman (Todos os gatos têm Síndrome de Asperger, em tradução livre), que foi perfeito. Ele explica de modo bem simplista e agradável todos os aspectos da Asperger – como audição hipersensível, esquivar-se de ser tocado e ter hábitos peculiares para se alimentar – por meio do comportamento dos gatos. O livro inclui muitas fotos adoráveis de gatos, que Lorcan adorou olhar. Ele virou as páginas rapidamente como se fosse algo de que ele não gostava, ou sobre a qual não queria pensar, como o gato com Asperger que tinha dificuldade para fazer amigos. Ainda não sei o quanto Lorcan entende a respeito da

Síndrome de Asperger, já que ainda é muito novo. Só não quero que isso seja algo monumental para ele quando ele for mais velho. Ele se aceita como é e é feliz assim, o que e ótimo.

Mais tarde, quando descemos as escadas, Lorcan foi direto atrás de Jessi e brincou muito com ela. Depois lhe disse:

– Olá, Jessi, você tem Síndrome de Asperger! Sabia disso?

Creio que ele achou muito mais fácil entender o que é a Síndrome de Asperger observando os gatos e, mais uma vez, isso o uniu ainda mais a Jessi. Ao observá-lo conversando com Jessi a respeito, senti um imenso alívio por ter lhe contado, uma vez que eu vinha me preocupando sobre como ele receberia a notícia.

Desde esse dia, mal falamos sobre a síndrome. Acredito que baste ele saber que é portador e, se tiver qualquer dúvida, espero que me pergunte. Por Lorcan ter dois transtornos de comunicação e dificuldades para expressar suas emoções, sempre o incentivei a me perguntar tudo o que ele não entendesse. Ele vem se saindo bem nisso e me faz perguntas o tempo inteiro, mas elas raramente se referem a ele pessoalmente e nunca se tratam de emoções, visto que ele tem dificuldade com isso. Normalmente são perguntas estranhas e incomuns, como: "Quem foi a primeira pessoa a ser a primeira pessoa que já caminhou na face da Terra?" Ou: "De onde veio toda a água do mundo?".

Uma dúvida recente foi:

– Se a Inglaterra não é muito grande, por que não a expandimos?

Sua curiosidade é verdadeiramente uma graça, mas as perguntas são sempre baseadas em fatos e nunca tocam nem no mutismo nem na Síndrome de Asperger.

Como depois fiquei sabendo, muitas pessoas portadoras da síndrome possuem gatos. Os animais são um auxílio comum, mas os gatos parecem propiciar um conforto especial. Existem algumas pessoas com Asperger com quem nos comunicamos pelo Twitter e uma delas – Kevin Healey, que promove uma grande campanha contra o bullying – recentemente nos enviou uma foto da sua linda gatinha. Era uma birmanesa, muito parecida com Jess.

Embora Lorcan ainda estivesse no Terceiro Ano do Ensino Fundamental quando foi diagnosticado, e tinha mais alguns anos na escola primária, eu queria me certificar de que estaríamos completamente preparados para as mudanças que ele enfrentaria quando saísse de lá. Após dias de pesquisa na Internet, procurando mais informações e conselhos, finalmente procurei Adam e disse:

– Preciso saber quais problemas Lorcan vai enfrentar quando estiver na escola secundária. Você pode me ajudar?

Adam havia frequentado uma escola secundária local, e eu sabia que ele me contaria os percalços do ensino, mas eu não estava preparada para a longa lista que, no fim, ele me entregou, detalhando as coisas que lhe aconteceram. Ler aquilo partiu meu coração. Eu não fazia ideia de todo o sofrimento e a angústia que ele teve que enfrentar rotineiramente, e fiquei chocada que, durante todo aquele tempo, e nas numerosas reuniões de pais, seus professores jamais mencionaram coisa alguma comigo.

Além das suas experiências, Adam listou alguns conselhos que ele achava que os professores deveriam seguir para ajudar Lorcan a lidar mais facilmente com a vida escolar:

- Certifique-se que Lorcan saiba exatamente o que é esperado se as instruções não estiverem claras. Por exemplo, eles querem apenas anotações ou uma dissertação?
- Elogie suas conquistas e reconheça o que ele faz bem, além de apontar os erros. De outro modo, sua autoconfiança será completamente abalada; ele não verá motivos para se esforçar e acabará desistindo.

- Trabalhos em grupo – crianças silenciosas normalmente são ignoradas. Aloque Lorcan com outras crianças tranquilas. Deixe-o fazer anotações ou coloque-o junto a um amigo com quem ele se sinta à vontade para falar. As anotações são um bom instrumento, pois suas observações serão ouvidas a despeito de sua habilidade de interromper, de se fazer ouvir etc.
- Certifique-se de que ele saiba para onde deve ir ou faça com que alguém o acompanhe. Isso precisa ser contínuo. Não cesse o apoio se ele parecer estar se saindo bem. Avise-o antecipadamente se houver qualquer mudança de sala ou atividade especial, por exemplo, trabalho em grupo, exames práticos, para que ele possa estar preparado.
- Deixe-o escolher onde se sentar se for possível.
- Seja bem claro quanto ao que ele deve fazer, por exemplo, itens, parágrafos, redações; não seja vago, deixando-o que ele decida sozinho. Não deduza que o que você quer que ele faça é óbvio se você não tiver lhe dito explicitamente.
- Crianças com Asperger podem ficar superestimuladas e não conseguem filtrar barulhos de fundo, e pausas em ambientes muito barulhentos, como o refeitório, podem ser complicadas. As crianças com Asperger precisam de lugares tranquilos para comer.
- Certifique-se de que ele esteja completamente preparado para dias diferentes, por exemplo, excursões escolares e dias sem uniforme.
- Os professores precisam saber que ler em voz alta pode ser um problema para Lorcan, ainda mais se seu mutismo seletivo perdurar até a escola secundária.
- Acompanhar as aulas práticas em ciências e em outras matérias pode ser difícil por causa da interpretação literal, e Lorcan pode ter problemas para pedir ajuda.

Adam, obviamente, vivenciou problemas sérios na escola e, infelizmente, ninguém notou. Sua diagnose tardia quer dizer que ele atravessou muitos pesadelos e nada pode superar isso. Com Lorcan, pelo menos, soubemos antes, por isso podemos cuidar disso a partir de uma perspectiva prática.

Uma vez que não se trata de autismo num grau severo, mas de Asperger altamente funcional, acredito que ele tenha chances se conseguir o amparo correto, por isso estou constantemente na Internet, escrevendo e-mails e telefonando, tentando conseguir o melhor para ele. Você ouve as palavras "intervenção precoce" seguidamente, mas onde ela está? Eu posso fazer tudo o que for necessário fazer, explicar coisas e garantir que ele esteja bem, mas ele passa grande parte de sua vida na escola. É por isso que eu estava determinada a que ele recebesse uma declaração formal antes de começar a escola secundária. Pensei: "Muito bem, ele não precisa disso agora porque o corpo de funcionários da escola primária é maravilhoso. Mas e quanto à secundária?".

Ele já vem apresentando dificuldades no entendimento de algumas instruções. Já tivemos algumas ocasiões, mesmo no Terceiro Ano, quando ele ficou aflito simplesmente por ter lição de casa de matemática e não entender o que precisava fazer. Consequentemente, a lição não é feita. O quanto isso vai piorar quando ele começar a ter o volume de deveres que dão na escola secundária?

Se eu tiver que lutar e ir aos tribunais – o que estou preparada para fazer –, isso pode durar anos, portanto tenho que começar agora.

Quando requisitei uma avaliação estatutária para Lorcan pela segunda vez, recebi um formulário para preencher. Debaixo da pergunta: "Quais são as suas preocupações?", havia um quadradinho minúsculo para ser preenchido. Pode acreditar, as minhas preocupações são muito mais numerosas do que aquele espaço me permitiria elaborar! Em vez de preencher aquilo, comecei a escrever uma história concisa dos problemas que Lorcan tem tido e por que quero que ele receba uma declaração formal de sua condição. No fim, a carta ficou com diversas páginas, portanto concluo que eles acabaram recebendo muito mais do que esperavam.

Mesmo assim, recentemente recebi uma carta de nossa autoridade educacional local dizendo que nós "não temos evidências suficientes no momento", portanto eles resolveram adiar a decisão. Meu sangue ainda ferve quando penso nisso.

Em todo esse processo, Mali Rashidi foi de grande ajuda. Como especialista em autismo que também é especialista em linguagem e fala, ela possuiu um conhecimento sobre autismo que me surpreende. Ela é uma mulher impressionante.

Pouco depois do diagnóstico, ela me convidou para um workshop chamado "Social Stories" (Histórias Sociais), então aceitei para descobrir do que se tratava. A ideia é escrever para o seu filho tudo o que vai acontecer, para que ele não fique assustado pelas mudanças de rotina ou acontecimentos especiais.

Por exemplo, quando Lorcan ficou traumatizado com a ideia de ter aulas de natação, a escola fez exatamente isso. Eles escreveram: "Chegamos à piscina. Você entra no vestiário, depois veste o calção de banho. Em seguida vai até a piscina". Além disso, você pode fazer desenhos, mesmo de pessoas-palito, e colocar fotografias, para que ele entenda o que vai acontecer e possa olhar para aquilo algumas vezes antes do evento.

Cada história é escrita de modo a incluir muitos aspectos positivos e não muitos negativos, mas é mais complicado do que parece. Quando comecei o workshop, pensei: "isso vai ser moleza". Depois parei no meio e pensei: "puxa, acho que é preciso um diploma universitário para entender disso!". É uma fórmula que você segue para ajudá-los a enfrentar ocasiões assustadoras e a superar suas preocupações. No entanto, agora já estou craque, e isso o ajuda de fato.

Nadar sempre foi um problema para Lorcan. Já discutimos muito a esse respeito, e Dave já levou os meninos às piscinas da cidade em diversas ocasiões, mas Lorcan nunca se diverte, normalmente apenas fica sentado nos degraus da escada, recusando--se a entrar.

As aulas de natação tinham mudado na época em que Lorcan começou o Terceiro Ano, o que foi muito bom para nós. Em vez de ir por meia hora toda semana, eles ficariam uma hora inteira durante seis meses, a partir de fevereiro. Isso nos possibilitou alguns meses para que Lorcan se acostumasse à nova professora antes que fosse lançado no fundão – figurativamente falando, claro.

Nós conversamos muito a respeito, mas o assunto sempre o perturbava, por isso fiquei preocupada. Quando fevereiro começou a se aproximar, a professora dele, a senhora Bernard, tocou no assunto com a classe, e verificou que havia outras crianças que não sabiam nadar e que Lorcan não era o único que estava com medo. Lorcan não poderia estar mais preparado, e eu queria muito que ele tentasse para ver como se saía. Se estivesse muito perturbado e agitado quando chegasse o momento, eu provavelmente o teria impedido de ir.

Alguns dias antes da aula de natação, ele me disse que não queria ir, mas ainda não conseguia expressar o motivo pelo qual nadar o preocupava tanto. Podia ser pela mudança na rotina ou pelo lugar desconhecido, e a terapeuta de fala sugeriu que poderia ser algum motivo sensorial, típico das crianças com autismo, talvez ele não gostasse da água no rosto ou do barulho nas piscinas.

De qualquer modo, ele estava evidentemente perturbado, por isso o levei para falar com a senhora Bernard. Ela lhe perguntou do que ele tinha medo e ele, muito sério, disse:

– De me afogar!

Com isso ficamos sabendo.

A senhora Bernard foi incrível. Com muita paciência, ela explicou por que isso não poderia acontecer, e ele pareceu bem mais contente.

No dia da primeira aula, eu lhe mostrei a bolsa e os seus pertences de natação, e repassei os eventos do dia mais uma vez. Ele estava ansioso, mas não perturbado, e foi embora.

Mais tarde, a senhora Bernard me contou que ele se saiu muito bem. Não estou convencida de que ele um dia irá nadar adequadamente, porque ainda não tem muita confiança dentro d'água, mas o fato de ele ter ido e entrado na piscina sem muito alarde foi fantástico. A senhora Bernard me pediu para levá-lo para nadar durante o recesso da Páscoa para aumentar sua confiança, e dessa vez ele foi satisfeito com Luke.

Essa ainda não seria a ideia de um dia divertido para Lorcan, mas, pelo menos, ele já não fica aterrorizado, por isso vamos continuar a levá-lo depois que as aulas na escola acabarem.

O comentário sobre se afogar é bem típico de Lorcan, cuja imaginação frequentemente o faz temer o pior.

Recentemente ele me perguntou se podíamos colocar arame farpado na cerca do jardim. Não me surpreendi. Sua lista de Natal do ano anterior fora um iPad, um pouco de arame farpado e uma Taser.

– Por que você quer arame farpado na cerca? – perguntei.

Ele respondeu num tom de voz bem alegre.

– Uma raposa atacou um bebê. Vi na TV. Precisamos de arame farpado ao redor do jardim para que ela não entre. Precisamos proteger a mim, Jessi e Lily.

Não houve nenhuma menção a respeito do restante da família...

Capítulo 10

Perseverando

No oitavo aniversário de Lorcan, em setembro de 2012, fomos visitar a cidade história de Chester. Resolvemos ir de trem, para propiciar aos meninos uma visão diferente da costumeira autoestrada, o trem lhes dá mais espaço, e eles ficam menos entediados. Os dois amam museus e locais históricos, por isso fomos em vários lugares descobrindo coisas sobre os romanos. O tempo estava bom e tomamos sorvete em um banco à margem do rio.

Por fim, acabamos indo ao Museu Grosvenor, onde a moça na recepção notou os meninos e disse que se nos apressássemos poderíamos ver uma demonstração com espadas romanas. Com a obsessão de Lorcan por soldados, não poderia ter sido melhor, então fomos dar uma espiada.

Num salão do museu, o guia estava ao lado de uma mesa coberta por armas romanas, ele discursou brevemente e explicou tudo sobre armas e armaduras, foi ótimo com os meninos. Luke experimentou uma armadura e como era grande o bastante segurou uma verdadeira espada romana, mas Lorcan, tendo apenas oito anos, recebeu uma espada de madeira para segurar.

Depois da explicação, devolvemos as espadas e eu agradeci ao guia. Já estávamos saindo quando Lorcan, rápido como um raio, agarrou uma espada grande de metal de cima da mesa e a impulsionou para a frente na direção do seu oponente imaginário. Ele foi tão ligeiro que o homem não teve tempo de detê-lo, mas empalideceu antes de conseguir tomá-la das mãos de Lorcan. Quando, por fim, conseguimos devolvê-la, ele me disse que se dizia que aquela era a espada mais antiga do acervo sobre a mesa e, definitivamente, não deveria ser manipulada pelo público. Também disse que já fizera inúmeras demonstrações antes, com muitas crianças, mas jamais conhecera alguém tão rápido quanto Lorcan!

Depois fomos para a Dewa Roman Experience, uma fortaleza romana bem realista cheia de ruas, barracões, um balneário, uma taverna e tendas de compras. Os meninos adoraram e também conseguiram entrar na réplica de um barco a remo, com o chefe dos remadores guiando-os pela "viagem". Havia elmos e armaduras para as crianças experimentarem, e tudo foi muito divertido.

Visitar museus com Lorcan é uma experiência e tanto. Ele se move muito rápido entre as exibições e tende a parar diante de coisas específicas que são do seu interesse. E sempre insiste em comprar uma espada na loja de souvenires, em casa há uma coleção e tanto.

Lorcan adora fingir que é algum personagem histórico. Há pouco tempo, ele passou um bom período fantasiado de Dick Turpin, usando até a máscara e o chapéu. Declarou suas intenções de se tornar bandido quando crescer antes de assistir ao vídeo *Horrible Histories*[8] de Dick Turpin no YouTube repetidamente. Já sei a música de cor! Ele também salta diante de nós gritando:

– Mãos ao alto!

8 *Horrible Histories* é uma série de televisão feita para crianças cujo objetivo é entreter ao mesmo tempo em que informa seu público a respeito da História, transformando um tópico considerado entediante em engraçado. (N.T.)

Numa certa manhã, ele estava de pé, às cinco, vestido como Dick Turpin, exigindo que alguém descesse com ele para preparar o desjejum porque ele estava com medo – apesar de ser um destemido ladrão de estradas. Durante essas brincadeiras, Jess era sua égua fiel, a quem ele chamava de Black Bethel porque não gostava do nome Bess.[9]

Aniversários costumam ser um evento íntimo em nossa família. Normalmente temos bolo e passamos o dia com a família na casa da minha mãe, mas também podemos passar o dia passeando, mesmo que seja um simples passeio até o Museu Norte Imperial de Guerra, que fica bem perto de casa.

Em certa ocasião, quando Dave levou os meninos ao museu, eles pararam no caminho e um homem lhes perguntou se poderiam responder a uma pesquisa. Era a respeito de aparelho e aplicativos e ele perguntava coisas como: "Algum de vocês tem iPad?".

Uma das perguntas foi: "Quantos aplicativos vocês baixaram pagando este ano?". Luke respondeu: "Dois. Ganhei de presente de aniversário". De repente, para surpresa de Dave, Lorcan exclamou, num tom bem alto: "Setenta e três!".

Até mesmo Jess ganha uma pequena comemoração, com Lorcan como mestre de cerimônia, evidentemente. No seu segundo aniversário, em junho de 2012, nos reunimos todos na casa da minha mãe, Jessi foi coberta de presentes e passou de colo em colo para ser afagada. Ela ganhou uns lindos ratinhos peludos, que gosta de carregar consigo e esconder atrás do sofá. Como ela não tem polegares opositores, Lorcan se ofereceu para abrir os presentes por ela e lhe mostrou cada um dos presentes com imensa alegria. Ele também insistiu para que cantássemos "Pa-

9 O nome da égua de Dick Turpin era Black Bess. (N.T.)

rabéns pra você", mesmo que ele tenha ficado apenas sorrindo. Jess não demonstrou nenhuma reação ante a coisa toda.

Para Lorcan, aniversários tranquilos são muito melhores, uma vez que festas podem trazer todo tipo de desafios. Além de pessoas pouco conhecidas, podem existir situações sociais que ele não entende.

Em janeiro, ele foi a uma festa de despedida para Ella, a garotinha que tanto o ajudou na creche. Ela estava de mudança para a Austrália, o que foi uma pena, porque ela e Lorcan se davam muito bem. No final da festa, vi quando duas menininhas chutaram Lorcan deliberadamente. Não foi nada forte e, aparentemente, sem maldade, por isso não intervi, perguntei a ele mais tarde e ele insistiu que estava bem.

– Foi só um chute de despedida! – disse ele, bem enfaticamente.

As meninas tinham lhe dito que aquele era um modo afetuoso de despedida e ele acreditou. Tive que explicar que era errado chutar – por qualquer motivo. Isso me fez pensar o que mais poderia estar acontecendo que Lorcan considerava como um comportamento perfeitamente aceitável. Isto é que é difícil de superar.

Ele é bom na escola, é bem comportado, faz suas tarefas, é feliz. Mas o que pode estar acontecendo que eu não sei? Com frequência, as crianças portadoras de Asperger têm dificuldades para interpretar as intenções das pessoas e, à medida que ele crescer, isso pode lhe trazer problemas na escola.

Um mês mais tarde, os ingressos para o baile do Dia dos Namorados de 2013 foram colocados à venda. Era depois da escola, não era obrigatório, apenas para diversão. Lorcan fora aos bailes de Natal e aproveitara bem, por isso perguntei se ele queria que eu lhe comprasse um ingresso.

– Eu não vou! – ele insistiu em responder.

– Por que não? – perguntei. – Pensei que você gostasse dos bailes da escola.

– Porque você tem que beijar as garotas! – ele replicou, a voz diminuindo num tom desgostoso.

Tentei lhe explicar que ele não tinha que beijar ninguém e que era uma boa ocasião para se divertir com os amigos, mas ainda assim ele se recusou a ir. Alguém, obviamente, lhe dissera que aquele era o caso e ele não estava disposto a correr riscos.

Em dezembro de 2012, vi que a Cats Protection tinha montado uma tenda para angariar fundos na loja Pets at Home, perto da nossa casa. Entrei em contato e me ofereci para levar Jess para vê-los, eles ficaram encantados com a ideia e até providenciaram uns pôsteres. Coloquei Jess em sua caixa de transporte e a levei lá, junto a Lorcan. Eu havia comprado um arreio para gatos para que pudéssemos colocá-la numa coleira, pois sei que é permitida a entrada de cães no Pets at Home e eu precisaria ter algum controle sobre Jess a fim de que ela não escapasse. Nunca a tínhamos colocado num arreio, mas ela ficou ótima.

Vagueou pela loja, explorando-a, cheirando os produtos e se divertindo. Lorcan gostou de acompanhá-la, mas, quando ela entrou num canil grande e se enroscou, tive que ajudá-lo a tirá-la de lá. Claro que ele achou muitíssimo engraçado e anunciou:

– Jessi está fingindo que é um cachorro!

Alguns minutos mais tarde, ele foi para fora com ela e correu na direção da loja ao lado, então tive que assumir a tarefa de guiar.

Jess gostou de ser paparicada e se submeteu com graciosidade aos carinhos dos voluntários da Cats Protection e dos estranhos; todos a acharam maravilhosa.

Em março, oito meses após Jess ter recebido o prêmio, fui contatada pelo produtor do programa de Jeremy Vine da Rádio BBC 2. Ele assistira ao *Breakfast* enquanto procurava por programas a respeito de mutismo seletivo, por isso queria que eu participasse.

Mais uma vez, seria no MediaCityUK, mas, desta vez, num prédio diferente. Infelizmente, quando chegamos lá, ninguém sabia de nenhuma entrevista. Tive que esperar um pouco enquanto eles se informavam, e, no fim, telefonaram para o produtor em Londres. Fui levada a um estúdio pequeno para a entrevista, onde tive que esperar meia hora até chegar a minha vez. Foi desgastante, mas é tão importante conscientizar as pessoas que eu não pude me recusar. Depois disso, encontrei-me com Dave para um almoço sossegado, já estava me acostumando às entrevistas, mas o nervosismo ainda me acomete!

Desde a nossa primeira aparição, e a subsequente diagnose de Lorcan, também tenho concedido entrevistas em nome da organização Hearts and Minds Challenge (heartsandmindschallenge.org), que angaria fundos para ajudar as crianças com autismo. A minha primeira foi na Rádio Manchester, algumas semanas antes do programa de Jeremy Vine, e foi para falar sobre ter um filho dentro do espectro do autismo na escola regular. Monique, da Hearts and Minds Challenge, estava comigo, o que facilitou um pouco, e a entrevista correu bem. Também tenho concedido entrevistas para revistas, incluindo uma que é distribuída em sete mil escolas primárias. Mais uma vez, tratou da Síndrome de Asperger e a educação formal, mas eu também mencionei o mutismo seletivo.

A premiação me concedeu uma plataforma para que eu discorresse sobre as duas condições e, mais uma vez, temos que agradecer a Jess por isso.

O mutismo seletivo de Lorcan causa problemas sobre os quais a maioria dos pais nunca teve que pensar. Um exame oftalmológico, por exemplo, é bem complicado se a criança não pode dizer, em voz alta, as letras que está lendo no cartaz.

Numa consulta recente ao oftalmologista, Lorcan permaneceu completamente calado o tempo inteiro, não emitiu sequer uma risadinha. Ele se sentou na cadeira e o médico perguntou se ele estava bem acomodado. Solene, ele assentiu. No entanto, por sorte, o médico ouvira a entrevista no programa de Jeremy Vine sobre mutismo seletivo e entendeu o problema. Ele foi fabuloso e conseguiu fazer o exame, pedindo que Lorcan desenhasse as letras no ar com os dedos. Ele me contou que aquela era a primeira vez que ele se deparava com uma criança com mutismo seletivo.

O oftalmologista realizou um exame bem completo na vista de Lorcan e decidiu que ele se beneficiaria com o uso de óculos na escola. Lorcan não ficou muito impressionado e meneou a cabeça enfaticamente quando foi perguntado se estava contente com isso. Felizmente, ele superara a aversão quando os óculos ficaram prontos e os tem usado na sala de aula, guardando-os na caixinha com cuidado quando não os está usando.

A última consulta profilática de Lorcan no dentista também foi uma confusão. Ele quis que Luke fosse na frente, mas quando chegou a sua vez, ele saltou e pulou na cadeira, com um amplo sorriso. Enquanto seus dentes eram examinados, os pés não pararam de se agitar, um sinal evidente de nervosismo. A certo ponto, o dentista mencionou que Lorcan precisaria de aparelhos ortodônticos quando fosse mais velho. Lorcan se jogou para trás dramaticamente na cadeira, escondeu o rosto e depois nos mostrou uma expressão "devastada".

Quando terminou, o dentista abaixou a cadeira, e Lorcan foi escorregando por ela para depois voltar a subir pela parte de baixo, abrindo caminho entre os cabos e equipamento. Ele fez isso tão rápido que não houve como impedi-lo. Da entrada no consultório até quase voltarmos para o carro, Lorcan não disse nenhuma palavra, mas as consultas no dentista sempre foram muito estranhas. Quando era pequeno, ele ia com Luke, mas nunca abriu a boca para o dentista ver seus dentes. Em certa ocasião, quando ele tinha dois anos, ele gritou tanto quando tentamos acomodá-lo na cadeira que o dentista conseguiu espiar seus dentes enquanto ele berrava.

Na primeira vez em que ele abriu a boca espontaneamente para o dentista, aos cinco anos, foi um choque. Ele se recusou a se sentar na cadeira, mas ficou de pé, no meio do consultório e abriu a boca o máximo que conseguiu, mas estava evidentemente nervoso. Durante todo o tempo em que manteve a boca aberta, emitiu um guincho agudo e longo.

Desde então, concordou em se sentar na cadeira e abrir a boca, mas nunca falou nada.

Para o dentista e o oftalmologista, eu tenho tempo de explicar sobre o silêncio de Lorcan, mas outras pessoas podem simplesmente acreditar que ele está sendo mal-educado. Agora ele já consegue falar diante de estranhos, o que, para mim, é um imenso avanço, mas isso pode tornar a inabilidade de ele falar *com* eles ainda pior. Recentemente fizemos reservas para uma viagem em família, e enquanto estávamos na agência, ele falava sem parar diante da moça que fazia nossas reservas, mas, quando ela lhe fez uma pergunta direta, ele simplesmente a ignorou. Quando ele era menor, ninguém se ofendia com isso e tudo bem, mas vai chegar o dia em que as pessoas vão começar a pensar: "mas que criança mal-educada!".

Em maio, levamos Lily ao veterinário para tomar suas vacinas anuais. Quando voltamos, pensei que já fazia um tempo que eu não levava Jess, por isso fui procurar sua carteirinha de vacinação e vi que estava vencida. Telefonei para o veterinário, e me disseram que a última vez em que ela fora vacinada foi em 2011. Marquei hora, mas pensei que devia haver um equívoco, por isso peguei a carteirinha dela para conferir e eles estavam certos: no ano de 2012 ela não fora vacinada. Nesse meio tempo, eu a levara a MediaCityUK, para a escola e de coleira para a angariação de fundos da Cats Protection na Pets at Home. Fiquei mortificada.

Ela foi com Lily, que precisava passar por uma consulta, e Lorcan foi comigo para lhe fazer companhia. Lily entrou primeiro, enquanto Jess continuava na caixa de transporte. Lorcan estava fuçando em tudo, mexendo, abrindo e fechando a porta tão repetidamente que eu o mandei para fora, para aguardar na sala de espera com minha mãe.

Jess ficou aterrorizada quando teve que ser examinada. Ficou largada e submissa, com as orelhas recuadas e muito calada. Ela se comportou bem, mas, evidentemente, não gostou de ser manipulada e pareceu bem contente quando voltou para sua caixa pouco depois.

No caminho para casa, Lorcan estava preocupado. Sentou-se no banco de trás com ela, verificando constantemente se ela estava bem e perguntando: "Você está bem, Jess? A agulha doeu?".

No verão de 2012, quando tivemos uns dois dias de sol aberto, montei a barraca de Lorcan no jardim para que os meninos pudessem brincar. Enquanto eu me mantinha atarefada pela casa, senti um pânico repentino ao notar que a porta dos fundos estava aberta e que Jess não estava em parte alguma. Depois de dar o alerta: "A gata sumiu!", saí em disparada pelo jardim para começar a busca. Eu estava percorrendo o jardim, gritando o nome dela quando, de repente, ouvi uma vozinha vindo de dentro da barraca. Era Lorcan dizendo:

– Não, Jessi, você tem que ser uma boa prisioneira e ficar dentro da prisão.

Ele fechara a barraca para brincar de pirata sem me avisar. Tenho certeza de que ela gostou de cada minuto.

Fiquei satisfeita quando recebemos a carta oficial com o diagnóstico para a Síndrome de Asperger porque eles também escreveram que Lorcan ainda sofre de mutismo seletivo. Embora esteja se comunicando bem na escola, onde agora se sente mais à vontade e relaxado, ele costuma ficar mudo em outros lugares, em situações menos familiares. É por isso que eu acredito que ele regredirá quando deixar o conforto da escola primária e ingressar no ambiente mais amplo e assustador de uma secundária. Isso precisará ser cuidadosamente administrado por nós e por seus futuros professores. Ele obteve avanços fantásticos, mas de modo algum superou o mutismo seletivo.

Minhas preocupações vieram à tona recentemente numa conversa que tive pelo Facebook com uma amiga. Christine McLaughlin é professora, treinada em necessidades educacionais especiais e administra um centro de ensino local chamado Better Tuition (bettertuition.co.uk). Ela sempre apoiou muito a nossa família. Um dia, eu estava reclamando sobre o meu dilema quanto à escola secundária e ela me perguntou o que eu gostaria que acontecesse, num mundo ideal. Respondi que gostaria de uma unidade especial numa escola local para crianças como Lorcan, cujas necessidades costumam ser negligenciadas, uma vez que ela parecem, muitas vezes, se sair suficientemente bem na escola até a adolescência.

– Na sua opinião, qual a probabilidade de eu persuadir uma escola a criar uma unidade especial para crianças com Síndrome de Asperger? – perguntei.

Ela respondeu:

– Bem, imagino que seja uma questão de fundos, mas, definitivamente, é algo necessário.

Ela mencionou uma unidade similar em Sale, perto de Manchester, e sugeriu que eu telefonasse para a Coordenação de Necessidades Educacionais Especiais – SENCo – para trocar ideias.

Depois, acrescentou:

– Mas, também, você não poderia optar por uma educação alternativa? Como escolas-floresta, ou organizar uma coisa sua, um grupo em meio-período ou escola flexível na qual Lorcan pudesse se encaixar? Eu poderia ajudá-la nisso e você poderia usar o meu espaço.

(Escolas-floresta são organizações para educação em espaços abertos que possibilitam que as pessoas aprendam habilidades técnicas e sociais num ambiente como uma mata ou floresta.)

A sugestão de um grupo de apoio realmente me pôs para pensar. Um tempo atrás, eu conversara com outra amiga que tinha um filho dentro do espectro do autismo e debatemos a possibilidade de criar um grupo assim. Isso se mostrou mais difícil do que antecipamos e nossos planos não resultaram em nada, mas agora que Christine estava envolvida e nos oferecia o uso das instalações da sua instituição, passou a parecer uma possibilidade.

Começamos juntando algumas ideias. Resolvemos que precisávamos abordar dois aspectos no grupo. O primeiro seria para crianças pequenas como Lorcan, para garantir que elas obtivessem a intervenção precoce que os peritos dizem ser crucial. Queremos que os pequeninos aprendam habilidades sociais, de comunicação e todas as coisas que as crianças com Síndrome de Asperger não têm. Segundo, sentimos que era muito importante ter algo para as crianças mais velhas e para os jovens adultos. As pesquisas têm mostrado que a depressão é o maior problema para as pessoas no espectro do autismo, portanto um grupo no qual elas possam se encontrar e não se sintam isoladas seria um imenso avanço.

Resolvemos fazer uma reunião inaugural, e fizemos a bola rolar enviando mensagens de e-mail e colocando um anúncio no Twitter e no Facebook. Um ponto crucial foi especificar que um diagnóstico não era exigido, uma vez que muitas crianças passam anos até serem diagnosticadas, e muitas outras, como meu filho Adam, só são diagnosticadas no fim da adolescência. Queríamos ajudar qualquer um com um filho no espectro altamente funcional ou com deficiência de habilidades sociais.

Muitas crianças, como Lorcan, recebem um diagnóstico sem receberem a ajuda profissional de que necessitam. Ninguém sabe melhor do que eu o que pode acontecer se a ajuda não for oferecida, mas sou uma pessoa bem assertiva e sou capaz de lutar pelo meu filho. Existem outros pais que não sabem para quem se voltar. Queremos ser capazes de ajudar essas pessoas.

Naquela semana, participei de um café da manhã do Comércio no escritório distrital da nossa parlamentar local, Kate Green. Mencionei o grupo para ela, que se mostrou muito interessada. Depois de ouvir as nossas ideias, ela disse que ajudaria no que fosse necessário e endossaria o projeto. Temos muita sorte de termos uma parlamentar tão incentivadora.

Era meu dia de sorte e, do outro lado do salão, vi George Devlin, um militante local que tem muito envolvimento nas questões da comunidade. Mencionei a ideia a George, que também se ofereceu para se envolver, e em pouco tempo recebemos ofertas de apoio de muitos vereadores, inclusive de Joanne Harding, que se juntou ao nosso pequeno comitê.

Com tudo isso, enviei um e-mail para o Conselho de Trafford para lhes contar nossos planos e tive uma reunião muito encorajadora com eles na Páscoa. Encontrei-me com Ian McGrath, diretor da instituição Hearts and Minds Challenge, que nos ofereceu treinamento no futuro.

A primeira reunião aconteceu na instituição de Christine. Não tínhamos feito planos específicos, não tínhamos ideia de quantas pessoas apareceriam, e a coisa acabou ficando um pouco confusa. Um fluxo contínuo de pais entrou e logo ficamos sem cadeiras. Adam fora convocado para fazer anotações, mas o espaço acabou ficando tão apertado que ele e Christine tiveram que se sentar do lado de fora da sala. A vereadora Harding chegou, mas não conseguiu lugar para se sentar e teve que ir embora.

Tivemos pais de crianças desde a idade de Lorcan, até todos os anos escolares e a adolescência. Todos com histórias bem parecidas: brigas com o sistema e auxílio insuficiente. Numerosos adolescentes e mais velhos, muitos no ensino médio, tinham depressão e fracassavam na escola apesar de se saírem bem nos exames GCSEs. Conversamos bastante, estabelecemos que, definitivamente, havia a necessidade de um grupo como o nosso e marcamos de nos encontrar no mês seguinte.

A reunião do mês seguinte também teve a casa lotada. Felizmente (de certa forma), pelo menos oito pessoas da reunião anterior não puderam comparecer, mas também recebemos um ou dois rostos novos. Partilhamos ideias novamente. George Devlin anunciou que havia requerido fundos para nós, e também tivemos um representante da Sociedade Nacional de Autismo, que falou para o grupo.

O espírito de participação e cooperação foi verdadeiramente encorajador. Uma avó ofereceu seus préstimos como babá, e um pai, que faz tratamentos por meio da hipnose, ofereceu-se para ensinar técnicas de relaxamento para o grupo.

Mais adiante, alguns de nós planejamos passar por treinamento para que nós mesmos possamos ajudar nossas crianças. Também estou inclinada a fazer com que Adam participe do grupo de apoio aos adolescentes. Ele mesmo passou por muitos problemas e tem muitas experiências para partilhar.

Por mais incrível que pareça, depois de começar o grupo, descobri que Trafford na verdade possui uma coordenadora para adultos com autismo. Levando-se em consideração que Adam foi residente da cidade a vida inteira e foi diagnosticado seis anos antes, é extraordinário que nunca tenhamos ouvido falar a respeito.

Encontramo-nos com ela e ela listou todas as coisas que pode fazer em sua função para maiores de idade. Foi exasperador, pois tudo o que ela listava eu também queria para Lorcan: auxílio para as habilidades sociais, de comunicação e assertividade. Por que não ensinar essas coisas também para as crianças?

Na época em que este livro estava sendo escrito, o grupo estava prestes a organizar encontros diurnos também, pois temos muitos pais com dificuldade para encontrar quem cuide dos filhos e, por isso, não conseguem participar das reuniões noturnas, e também estamos formando uma boa equipe. Enviamos um e-mail mensal para as nossas famílias e o apoio financeiro vem crescendo. Faz bem fazer algo positivo em relação aos desafios enfrentados pelas famílias das crianças autistas.

Lorcan costuma rir muito. Recentemente, ele chegou em casa da escola e me disse:

– Acho que perdi meu senso de humor. Não consegui rir na escola. Nada foi engraçado.

Contudo, com seu sorriso sempre pronto e seu gosto por travessuras, não acho que isso um dia venha a acontecer. Ele ri até quando está encrencado.

Lorcan costuma levar muita bronca por lutar com Luke. Da vez última em que ralhei com ele, ele sorriu com doçura e bateu os cílios na minha direção, para tentar me desarmar.

– É isso o que você faz na escola quando está em apuros? – perguntei. – Isso funciona com as professoras?

– Eu sou bonzinho na escola – ele respondeu. – Não levo bronca. É você quem ralha comigo pelos motivos errados – àquela altura, ele já estava gargalhando, mas conseguiu acrescentar: – Eu não deveria levar bronca por brigar. Tenho que me proteger e me defender.

Às vezes é difícil continuar brava.

Em outra ocasião, ele estava atormentando Lily, por isso lhe disse:

– Lorcan, deixe a cadela em paz. Quer que eu encontre algo para você fazer?

Lorcan respondeu, rindo:

– Não, não, não, senhorita Trunchbull![10]

Ele passou a tarde arremessando balões de água por cima da cerca quando eu não estava olhando, e depois entrou sorrateiro

10 A senhorita Trunchbull é a diretora malvada da Escola Primária Crunchem Hall na qual Matilda, personagem de Roald Dahl, estuda. (N.T.)

no jardim do vizinho para apanhar um bastão de madeira, que depois trouxe para casa.

Jess também traz à tona o senso de humor dele. Agora ela criou o hábito de entrar no quarto de Lorcan quando ele vai se deitar e, depois de passar um bom tempo olhando para fora da janela e pisando em seus brinquedos, ela simplesmente salta na cama dele e entra debaixo das cobertas. Não é o ideal quando estamos tentando fazer com que ele durma, uma vez que o rabo dela provoca cócegas e o faz rir, e suas travessuras na hora de dormir o fazem gargalhar descontroladamente.

Ele também é superprotetor em relação a ela – e a sua imaginação criativa o fez enxergar perigos em cada esquina. Ele já correu escada abaixo, gritando:

– Precisamos de ajuda! Rápido! Jess está cheirando o abajur de lava e você disse para não tocar. É perigoso! Salvem Jessi!

A gata boba estava enroscada ao redor do abajur de lava no quarto dele e quando eu a tirei de lá, Lorcan fez o maior estardalhaço:

–Você está bem, Jessi? Isso foi muito perigoso, não foi?

Diferentemente de outros gatos, Jessi gosta muito de água e se senta ao lado da banheira quando Lorcan está nela. No entanto, se ela tenta se limpar, ele lhe diz:

– Não se lamba, Jessi, é anti-higiênico!

Em março de 2013, Lorcan finalmente foi elevado aos Cubs. Alguns meses antes, ele fora promovido dos Beavers, mas considerou a mudança estressante, apesar de se divertir depois que estava lá. Luke fora elevado aos Scouts na mesma época, mas os líderes sugeriram que ele acompanhasse Lorcan nas primeiras semanas, então o pobre teve que participara tanto dos Cubs quanto dos Scouts durante meses. Eu lhe dei um dinheiro extra na mesada para que isso valesse a pena.

Na noite em que Lorcan estava confiante o bastante para ser promovido, eu sabia que ele tinha que dizer o Juramento dos Cubs em voz alta, e fiquei nervosa por ele. Fomos convidados a ir para ver Lorcan, mas eu estava tão agitada que esqueci a máquina fotográfica. Chegamos alguns minutos antes do fim da sessão e nos mostraram onde sentar. Os Scouts, inclusive Luke, estavam de pé formando um círculo, fazendo a saudação característica e seu juramento. Normalmente, não temos permissão para ver isso e esperamos do lado de fora até que os encontros terminem, por isso, foi encorajador ver Lorcan fazendo a saudação e participando.

Quando as coisas corriqueiras terminaram, os meninos que estavam sendo promovidos foram conduzidos até o Akelá (o líder adulto dos Cubs) por um escoteiro mais velho e Lorcan se adiantou com seu amigo George. Os dois tinham escrito o juramento dos Cubs para o caso de o esquecerem. Lorcan e George proferiram o juramento juntos, e nós conseguimos ouvir a voz de Lorcan, limpa e cristalina. Foi a primeira vez numa situação semelhante, por isso ficamos muito orgulhosos.

A mãe de George gentilmente tirou uma foto dos meninos. Parabenizamos Lorcan, mas nos certificamos de não fazer muito alvoroço, pois desejo que ele sinta que falar nessas circunstâncias é algo normal. Quando chegamos em casa, Jessi estava nos esperando na porta e Lorcan foi direto para ela no chão para lhe contar a sua novidade:

– Adivinha só, Jessi... Agora sou um escoteiro Cub! – anunciou. – Fui promovido; o que quer que isso signifique!

Assim que Lorcan foi promovido, recebemos uma carta a respeito de um acampamento em maio. Lorcan foi inflexível, dizendo que não iria, e não fiquei surpresa com isso, visto que ele passa a maioria das noites no quarto de Luke e nunca passou nenhuma noite longe de nós. No fim, eles decidiram acampar uma noite no QG dos escoteiros, onde se reúnem para os encontros semanais dos Cubs. Quando contei a ele, Lorcan inicialmente disse que desejava ir, mas eu não estava inteiramente convencida.

Um pouco depois, ele mencionou o assunto e disse que não iria, mas eu o ignorei, pois ainda faltavam muitas semanas para o acampamento e pensei que ele pudesse mudar de ideia novamente. A data foi se aproximando, todas as crianças estavam falando sobre o acampamento e Lorcan parecia bem inclinado a ir. Na última reunião dos Cubs antes do acampamento, entrei e conversei com os líderes, que me garantiram que ele ficaria numa barraca com os amigos da escola e que eles me telefonariam caso houvesse qualquer problema.

Na noite do acampamento, eu tinha ingressos para o Baile do Prefeito, por isso ainda estava um pouco apreensiva por Lorcan estar indo, mas pensei que seria bom para ele. Luke conseguiu prepará-lo, por ser um escoteiro experiente e ter participado de inúmeros acampamentos. No dia, arrumamos o saco de dormir, o pijama e uma escova de dentes, ele insistiu em levar duas lanternas – "no caso de uma emergência". Quando o deixamos lá, à tarde, notamos as barracas montadas, algumas modernas, outras antigas com cavilhas. Lorcan estava lendo o primeiro livro da série *Os Cinco* na época, por isso mostrei que as mais antigas eram do tipo em que *Os Cinco* teriam dormido.

Nós o levamos para se inscrever e o deixamos com os amigos. Ele tinha uma expressão ansiosa quando o deixamos, mas parecia contente por ficar. Eu sabia que ele ficaria bem com os amigos e se divertiria acampando. Também foi bom para ele dormir fora de casa, pois logo ele teria que participar de uma viagem escolar no Quinto Ano.

Fui para o baile, Dave deixou o telefone ligado para o caso de algum desastre.

Na manhã seguinte, às dez horas, fomos buscá-lo e, para o nosso alívio, ele estava bem. Eles tinham feito uma fogueira e preparado o café da manhã ali, Lorcan me disse que eles ficaram acordados até 1h da madrugada, fazendo bagunça. Por certo mantiveram os líderes bem ocupados.

Lorcan se divertiu, mas ficou contente em voltar para casa. Deu um tapinha no traseiro da pobre Lily e pegou Jess no colo assim que entrou. Ele estava de bom humor naquele dia, apesar do cansaço, por isso eu soube que ele se divertira. Quem sabe, na próxima vez que um acampamento mais longo for planejado, ele não se anime em ir?

Um mês depois, aconteceu um teste ainda maior para sua autoconfiança. Sua turma estava aprendendo a respeito dos romanos – um dos seus assuntos prediletos – e organizaram uma apresentação a esse respeito. Eles fariam uma peça de teatro e Lorcan, que representava um soldado romano, teria algumas falas. Ele as estudou e ensaiou e, enquanto o dia da apresentação se aproximava, observei atentamente por sinais de ansiedade. O indício costumeiro é não dormir direito e ficar irritado, mas nada disso pareceu evidente. Ele sabia suas falas de cor e parecia muito satisfeito consigo.

Alguns dias antes, perguntei-lhe se ele estava nervoso com a peça.

– Não, não estou – respondeu com firmeza. – Estou muito animado com a peça.

Como Lorcan não sabia o que deveria vestir, fomos à escola e perguntei à professora se ele precisava de figurino e acessórios. A senhora Bernard disse que ele precisaria de um lençol branco, para formar uma toga, e mencionou que a turma não tinha espadas em número suficiente. Essa era uma área em que definitivamente podíamos ajudar! Como já disse antes, Lorcan tem uma coleção de espadas de todos os tipos em casa, por isso eu me ofereci para trazer algumas e Lorcan concordou. Fiquei contente porque Lorcan sempre se mostrou relutante em levar coisas para a escola antes, temendo que se quebrassem ou fossem perdidas.

Voltamos correndo para casa e Lorcan separou as espadas, que variavam desde cutelos de piratas até a espada da Grifinória de

Harry Potter. Ele selecionou cuidadosamente as mais adequadas e as levamos para a escola.

Na noite anterior à peça, Lorcan foi para a cama como sempre. Entrei sorrateira para dar uma espiada nele meia hora mais tarde, esperando que ele ainda estivesse acordado, preocupando-se. Ele estava profundamente adormecido.

Na manhã seguinte, acordou bem cedinho. Cantarolou no trajeto até a escola – alguma coisa do Minecraft, um dos seus jogos prediletos – e sorriu quando o deixei lá. Antes de eu sair do parquinho, a senhora Bernard, professora dele, aproximou-se para trocar umas palavras comigo.

– Ele tem conseguido dizer suas falas durante os ensaios a semana inteira – ela me disse. – Mas não sei o que pode acontecer diante de uma plateia de verdade.

Depois disso, fiquei agitada a manhã inteira, imaginando como ele se sairia. A turma já realizara diversas peças, mas Lorcan sempre teve papeis sem fala, portanto, isso seria interessante. Quando eu já estava de saída, minha mãe telefonou e perguntou se poderia assistir também, então chegamos juntas. Chegamos bem cedo porque eu queria um lugar na frente, mas as fileiras do fundo logo foram tomadas com a chegada dos pais e avós e, no fim, a escola toda tomou conta do lugar junto aos funcionários. Em seguida, o Terceiro Ano assumiu suas posições no palco e a senhora O'Connor, a coordenadora, apresentou a sala, e a peça teve início.

Lorcan estava no palco, sorrindo para nós. Eu tinha a filmadora pronta porque Lorcan insistira para que eu o filmasse quando ele se levantasse e fosse para o centro do palco, fiquei em suspense o tempo inteiro. Tenho que confessar, no meu estado, não ouvi uma palavra sequer da peça.

Por fim, o grande momento chegou. Ele se levantou de repente e andou para a frente com outro garoto. Liguei a filmadora e esperei. O outro menino falou, depois foi a vez de Lorcan. Prendi a respiração para controlar o farfalhar em minha barriga enquanto ele abria a boca. Então ele disse sua fala, de modo bem claro e audível.

Lágrimas me surgiram nos olhos, mas eu me contive para não chorar e sorri para ele, que parecia absolutamente tranquilo, apenas se remexendo um pouco, e as mãos cobriram a boca quando ele se sentou. Ele conseguira!

Mais tarde na peça, ele teve outra frase a dizer, mas foi rápido demais e não consegui gravar. Mais uma vez, ele foi perfeito.

Depois do agradecimento no final, a coordenadora e a professora de Lorcan na pré-escola, a senhora Mellor, vieram falar comigo. A senhora Mellor admitiu ter chorado um pouco e a senhora O'Connor disse que sua equipe ficou atônita quando Lorcan conseguiu dizer suas falas. A senhora Bernard estava extasiada. Muitos pais, que sabem a respeito do mutismo seletivo de Lorcan, também nos parabenizaram, o que foi maravilhoso.

Quando chegamos em casa, Lorcan estava contentíssimo, cantando sozinho. Depois que ele brincou um pouco em seu iPad, colocamos o vídeo para ele assistir e ele ficou sentado sorrindo enquanto se via na tela.

David e eu não conseguíamos acreditar que ele ficara de pé num palco, diante do auditório da escola cheio de gente, e falado em voz alta. Foi uma conquista tremenda para Lorcan, uma que, antes de Jess, estaria muito além dos nossos sonhos mais loucos. Eu não poderia estar mais contente.

Epílogo

Sobre um menino

Em sua carta à revista *Birman Cat Club Magazine*, depois que Jessi recebera o prêmio de Gato do Ano, a sua criadora, Janet Bowen, escreveu: "Os birmaneses parecem ter, de fato, uma alma, e parecem saber o que precisam fazer".

A respeito da amizade entre Lorcan e Jess, ela acrescentou: "Essas duas almas gêmeas foram feitas para ficarem juntas... Se um birmanês é verdadeiramente amado, ele retribui com muito mais do que você jamais precisará". Não tenho como discordar.

Jess é gentil, livre de julgamentos e parece sentir que Lorcan precisa dela. Ela sempre corre até ele em detrimento dos demais membros da família, ainda que ame todos nós, e ele adora a sua companhia. Ela o recepciona sempre que ele chega e está ao seu lado na maior parte do tempo em que está em casa. Mesmo quando não está com ele, o seu impacto em sua vida, especialmente na escolar, fica evidente. Ela constantemente o faz sorrir e lhe dá autoconfiança. Por causa de Jess, Lorcan está fazendo progressos concretos ao lidar com seu mutismo seletivo, falando com professores, com a maioria dos colegas e até com adultos desconhecidos.

Mas, talvez, o mais incrível é que ela o ensinou a expressar suas emoções – e a dizer "eu te amo".

A escola de Lorcan recentemente dirigiu muitos recursos às crianças dentro do espectro do autismo, e está implementando reuniões regulares para lidar com e falar sobre emoções. Esta é uma ferramenta necessária tanto para o desenvolvimento social quanto para o progresso educacional. Lorcan parece sentir apenas os extremos, com isso, ou ele está muito feliz e sorridente, ou está devastado, chorando. Outras emoções, tais como amor e afeto, são de difícil identificação para ele e, antes da chegada de Jess, tenho certeza de que ele não fazia ideia do que elas eram ou de como articulá-las.

Jamais duvidamos do amor de Lorcan, mas, às vezes, era bem difícil.

Este é um rapazinho que sempre detestou chamegos, não gostava de ser tocado e não conseguia expressar afeição de um modo convencional – mesmo em relação ao pai e à mãe. Por mais doloroso que isso possa ter sido para nós, tivemos sorte, porque sabíamos, no íntimo, que ele era portador da Síndrome de Asperger ou de algum tipo de autismo e que isso não era nossa culpa.

E então Jess chegou – a nossa Bluegenes Angel –, com seus grandes olhos azuis, pelo macio e paciência infinita.

Jess ensinou Lorcan a abraçar e a beijar, a se preocupar com outro ser, a colocar as necessidades dela antes das suas. Essa é uma lição imensamente importante. Crianças dentro do espectro do autismo costumam ter dificuldades para sentir empatia, mas Lorcan, definitivamente, sente empatia por Jess e, com o tempo, isso pode vir a ensiná-lo a sentir o mesmo pelas pessoas.

Desde pequeno, Lorcan tinha dificuldade para nos contar se algo o preocupava, o aborrecia ou lhe causava ansiedade. Ele não conseguia sequer nos contar se seu dia fora ruim. Como o mutismo seletivo é um transtorno de ansiedade, não um problema de linguagem, isso dificulta identificar a causa do problema.

Ouvi-lo tagarelar com Jess sobre seu dia na escola, sobre o bom e o ruim, enquanto ela ouve sentada atentamente, virando as orelhas em resposta, é música para os nossos ouvidos. Ela responde à conversa dele com miados altos e afetuosas esfregadas de cabeça, e o discurso entre eles é o mais próximo de uma conversa que já vi entre uma criança e seu bichinho de estimação.

Há três anos, quando Jess entrou em nosso lar, era quase como se Lorcan fosse duas pessoas diferentes: um menino alegre e conversador em casa, mas mudo pela ansiedade debilitante na escola. Hoje, ele consegue falar a respeito de sua gata diante da sala, consegue proferir o juramento escoteiro em voz alta, ler para suas professoras e pode até fazer parte de uma peça escolar. Para Dave, para mim e para todos que o amam, isso não é nada mais, nada menos do que um pequeno milagre.

Dizem que o cachorro é o melhor amigo do homem, mas para o nosso menininho, Jessi-cat é mais do que uma melhor amiga – ela é a sua salvação. Graças a ela, Lorcan tem um futuro mais brilhante à sua frente, e sua fiel companheira felina estará com ele, em cada passo do caminho.

Essa bola de pelos linda, brincalhona, sociável e curiosa rompeu o silêncio e permitiu que o nosso filho, finalmente, encontrasse a sua voz.

Apêndice

Fama para Jessi e Lorcan

O texto a seguir foi retirado de um artigo escrito para a revista *Birman Cat Club Magazine*, edição 75, inverno de 2012.

A birmanesa que transformou a vida de um menino com um severo transtorno de ansiedade
Por Adam Preston

Em agosto deste ano, meu irmão, Lorcan, e sua gata, Jessi-cat, participaram do Prêmio Gato Nacional de 2012 promovida pela Cats Protection no Hotel Savoy, em Londres. Jessi-cat foi uma das finalistas na categoria Melhor Amigo, recebendo reconhecimento internacional desde a sua nomeação, devido ao seu incrível relacionamento com Lorcan. Eis o que aconteceu:

Em maio deste ano, minha mãe Jayne (Dillon) viu um anúncio no Twitter solicitando histórias de gatos excepcionais que, de algum modo, tivessem ajudado seus donos a superar obstáculos ou a melhorar sua qualidade de vida. A amizade de Lorcan com a nossa birmanesa de dois anos, Jessi-cat, imediatamente lhe veio à mente.

Lorcan é, de muitas maneiras, parecido com qualquer garoto de oito anos: ele gosta de brincar com seus soldadinhos e de jogar futebol com nosso outro irmão, Luke. Entretanto, Lorcan sofre de mutismo seletivo, um transtorno de ansiedade: ele tem dificuldade – ou a impossibilidade, às vezes – de falar em público em situações específicas. Alguém com mutismo seletivo, embora capaz de falar e de compreender a linguagem, não falará em determinadas circunstâncias ou diante de pessoas específicas (normalmente estranhos ou adultos e, por vezes, até membros de sua família), e mesmo assim é extremamente falante e expansivo em casa. Ainda que essas crianças também possam ser tímidas ou sofram de ansiedade social, o mutismo seletivo, por si só, não é o mesmo que timidez.

Nas crianças, a desordem frequentemente se torna evidente quando elas começam a frequentar a escola. Enquanto algumas se mostram inicialmente relutantes em falar quando ingressam num novo ambiente, as crianças com mutismo seletivo não "sairão das suas cascas" no fim, como é esperado. A sua inabilidade para falar com os professores e os colegas de sala se tornará clara conforme o silêncio perdura.

Infelizmente, devido à natureza da condição, as crianças com mutismo seletivo frequentemente são negligenciadas e não recebem a ajuda de que necessitam. Elas podem ser consideradas simplesmente "sossegadas" ou até teimosas, recusando-se a falar. Por não serem importunas e problemáticas na escola, muitas delas, por conseguinte, não receberão nenhuma ajuda. E é aqui que Jessi-cat entra!

Existem muitas provas para mostrar o benefício imenso da terapia com animais e bichos de estimação, especialmente com crianças e especificamente com aquelas com problemas de fala e comunicação, como o autismo e o mutismo seletivo. Embora soubéssemos disso quando trouxemos Jessi-cat para casa em 2010, mal imaginávamos o quanto ela ajudaria a mudar a vida de Lorcan.

Jessi-cat é uma linda birmanesa com brilhantes olhos azuis e um rabo extremamente peludo. Ela foi criada por Janet Bowen em Lancashire e seu nome de pedigree é Bluegenes Angel. Ela é bem comunicativa, frequentemente sustentando uma conversa com outros membros da família e nos cumprimentando quando nos aproximamos. Extremamente sociável e curiosa, Jessi-cat está sempre interessada no que Lorcan faz. Ela o observa enquanto ele brinca e, frequentemente, junta-se a ele nas brincadeiras.

No período em que a indicação de Jessi-cat estava para ser anunciada, a Televisão Granada quis saber mais: Lorcan e Jessi-cat apareceram no noticiário local. Isso foi apenas o início da fama, pois a história de Jessi-cat se espalhou pelos jornais nacionais, publicações sobre animais, inúmeros websites estrangeiros e até em programas televisivos. Recentemente ficamos sabendo que ela vai aparecer em um livro espanhol!

Quando o dia da cerimônia de premiação chegou, Lorcan viajou para Londres com nossa mãe, Jayne (Jessi-cat não pôde fazer a viagem), ansioso para descobrir se sua amiga peluda vencera o prestigioso prêmio. Eles foram direto para o Hotel Savoy, onde o almoço foi servido antes que a cerimônia começasse. Quando a categoria Melhor Amigo foi apresentada, Jessi-cat foi anunciada como vencedora (sua foto arrancou muitos 'aaahs' em meio à plateia), mas o prêmio principal ainda estava por vir.

Mais tarde, Lorcan confessou ter ficado a cerimônia toda com os dedos cruzados, e seu desejo foi atendido quando o presidente da Cats Protection revelou que o vencedor geral e Gato Nacional do Ano de 2012 era, de fato, Jessi-cat! A popularidade de Jessi se refletiu na imensa onda de aplausos que surgiu quando ela foi anunciada como vencedora do prêmio geral. Um Lorcan orgulhoso caminhou com confiança até a frente da sala para receber o troféu com um sorriso radiante no rosto. Ele até ergueu o troféu acima da cabeça enquanto o fotógrafo oficial batia uma foto.

Lorcan e minha mãe receberam um buquê de flores, presentes para a gata e uma máscara de gato. Enquanto estavam na cerimônia, também tiveram a oportunidade de conhecer o criador do famoso desenho *Simon's Cat*, Simon Tofield, que venceu a categoria Gato Celebridade, e fez um lindo desenho para Lorcan levar para casa. Antes de irem embora, deram entrevistas e tiraram fotografias, Lorcan chegou em casa muito excitado depois desse seu dia no Prêmio Gato Nacional do Ano. Ele estava encantado com sua amiguinha, que o recebeu em casa com muitos miados e esfregadas de cabeça.

Na manhã seguinte, Lorcan, minha mãe e Luke levaram Jessi-cat para os estúdios de gravação da BBC para uma entrevista na Rádio 5 Ao Vivo e o programa televisivo matutino *Breakfast*. Ela se comportou impecavelmente bem e até ficou solta na sala verde antes de entrar no estúdio. A reação dos espectadores mostrou o quanto ela é simpática para os outros, como na gravação de *Breakfast*, revelando-se extremamente popular on-line.

Por ter vencido as categorias de Melhor Amigo e Gato do Ano, Jessi-cat recebeu um ano grátis de areia sanitária, três meses de ração, uma foto emoldurada e dois troféus com seu nome gravado neles. Desde que se tornou uma celebridade internacional, Jessi-cat vem sendo o centro de muita atenção: a sua história foi contada em inúmeros noticiários, em websites e revistas em todo o mundo, e ela tem adorado cada minuto disso, posando e perscrutando cheia de charme as câmeras de fotógrafos surpresos. O vídeo oficial da Cats Protection de Jessi-cat recebeu mais de 130 mil visualizações (até agora) no YouTube!

Lorcan tem conseguido muitos avanços nos dois últimos anos, e muito disso se deve à sua amizade e ao seu relacionamento próximo com Jessi-cat. Eles se tornaram inseparáveis, e ele é capaz de demonstrar afeto em relação a ela e de expressar seu amor por ela de maneiras que ele não consegue com ninguém mais. Como mamãe disse numa entrevista: "Ela é uma gata tão adoravelmente compreensível e ele a abraça e beija o tempo inteiro... Ela é, sem nenhuma dúvida, a melhor amiga que um menino poderia ter, e tem tido um imenso impacto positivo na vida dele". Lorcan hoje é capaz de dizer "eu te amo", começou a se comunicar com pessoas que ele não conhece muito bem e até lê para uma das suas professoras agora – coisa que ele nunca fez antes. E, associado ao apoio que ele vem recebendo da escola e dos professores, o conforto e a companhia de Jessi-cat estão finalmente ajudando-o a encontrar a sua voz.

A instituição Cats Protection está muito satisfeita com a atenção que Lorcan e Jessi-cat chamaram a respeito dos gatos e das suas qualidades, tantas vezes despercebidas, como animais de estimação. Com a ajuda que ele está recebendo da escola e em casa, Lorcan está progredindo imensamente e mostrando que, com a ajuda correta, as crianças com mutismo seletivo podem se sobressair e até, possivelmente, superar suas ansiedades. Jessi-cat mostra o quanto um gato pode mudar a vida de uma pessoa, não importando a idade deles!

Desenho que Simon Tofield gentilmente fez para Lorcan no Prêmio Gato Nacional do Ano da *Cats Protection*.

Agradecimentos da autora

Muito obrigada a Alison Maloney por transformar minhas histórias e pensamentos desorganizados neste livro adorável. Também agradeço a todos os familiares por me lembrarem das travessuras do Lorcan no transcorrer dos anos.

Agradeço a Christine McLaughlin e Joanne Harding por serem amigas tão encorajadoras. A todas as pessoas que ajudaram a montar o grupo de apoio High-Functioning Trafford Group: Lyn, Michelle, George Devlin, a família Fernandez Arias, a parlamentar Kate Green e sua equipe, além de vereadores simpatizantes em quantidade grande demais para eu mencionar.

Obrigada a SMIRA, incluindo Lindsay e Gabby. Muito obrigada, claro, à Cats Protection, pois sem seu Prêmio Gato Nacional do Ano este livro não existiria.

Um agradecimento muito especial para Janet Bowen por permitir que Jessi-cat entrasse em nossas vidas. Aos professores da Escola Primária Woodhouse que têm sido tão gentis com Lorcan, especialmente a senhora Bernard – que detém a honra de ser a primeira professora sobre quem Lorcan falou.

Agradeço à equipe da Michael O'Mara Books por dedicar seu tempo examinando a história antes de me procurarem.

E, por fim, mas não menos importante, agradeço à gata Flo.

Agradecimentos da Editora inglesa

Os editores gostariam de agradecer a Adam Preston pelas suas fotos e por autorizar a inclusão de seu artigo da revista Birman Cat Club Magazine. Muito obrigado também a Paul Maven Photography; Cats Protection, Janet Osborn; SMIRA e, em especial, a Jo Teece.

Este livro foi composto nas fontes Bembo e BentonSansCond,
e impresso em papel Norbrite 66,6g/m² na Imprensa da Fé.